LIVETS AX

barndomsminnen

av

Sven Delblanc

LIVETS AX

barndomsminnen

av

Sven Delblanc

BONNIERS

ISBN 91-0-055201-1
Fyrtiofjärde-fyrtioåttonde tusendet

Sättning Bonniers Fotosätteri
Printed in Sweden
ScandBook AB 1991
Falun

Världen växer

1

Det hände en augustidag 1934 på vetefältet hinsides floden Minitonas. Dagen är brinnande het, hela familjen går i skördearbete. Ingen har tid att vakta pojken, som larvar omkring i den gula stubben och roar sig själv. I sitt medvetande är han outvecklad som ett grodyngel i en solvarm göl. Den enkla reflexen att härma styr honom. Han anar dunkelt att de borstiga axen är begärliga för de vuxna: han vill vara som de. Han har ynglets behov att känna världen med munnen, lära med munnen. Kanske ser han veteaxet som livets bröstvårta – med läppar och munhåla vill han vinna kunskap om livet. Han gapar som ett yngel och smakar, han finner att något är mjukt och sött, det mesta bittert och hårt: han skriker. Det är ändå så han måste söka sig fram, nu sedan han lämnat moderns mjuka bröst. Lockande gyllengult är livets ax. Han sticker det i munnen och försöker svälja. Men detta är inte drypande moders-spene, det är borstigt och vasst, det gör ont i hans hals, det kväljer, han hostar, skriker...

Först nu hände det oväntade, som graverade in detta som hans första minne med smärtans vassa stickel. Han skriker, men ingen kommer till hjälp. Smärta utlöser skrik, att skrika ger ömhet och hjälp... Men inte nu. Ingen hjälper. Han skriker förgäves.

Fadern är ett himmelshögt torn, han höjer sig över barnet i urblekt och svettfläckat blåställ, han skrattar bullersamt och vill inte hjälpa. Även systrarna står overksamma, stödda på högafflar, de fnissar eller ler. Är hans smärta något att roa sig åt? Varför lystrar man inte till hans rop på hjälp? En dunkel insikt dagas – de är större och starkare än jag. De som är starkare vill inte hjälpa.

I verkligheten, en augustidag 1934 hinsides floden Minitonas en snabbt förbiilande episod, inget de vuxna kan minnas, för barnet en solglödande evighet av vanmakt och plåga. Han skriker och skriker på hjälp, men hans vädjan är bara till förlustelse.

I samma ögonblick ser han för första gången solen, ett blint ansikte i skyn, det brinner av grymhet, ett ansikte utan ögon. Han ser solen. Som djuren har han upplevat solen med huden, som ett grodyngel förnummit dess värme, har levat mer än uppfattat sådant som ljus, mörker, sova, vakna, men den lysande himlakroppen har han inte sett förrän nu. Han ser in i den ögonlösa solen över Minitonas och blir ett ögonblick medveten varelse. Starkare än jag, tänker han om solen.

En filmremsa brister, minnet upphör. Kanske har modern kommit till hjälp, kanske har systrarna förbarmat sig. När smärtan och det vanmäktiga skriket upphör finns inget att minnas mer. Han återgår i det omedvetnas tanklösa ro, ett yngel i en solvarm göl. Han ser inte längre solen.

Familjen kan inte erinra sig detta efteråt. De bjuder honom bilder ur egna album, bilder han inte kan känna igen. Inneslutna i jagets fängelse är vi ensamma om våra minnen. Det lilla vi äger gemensamt minns vi så olika.

– Minns du den första gången? Så lyckliga vi var!

– Lyckliga? Det gjorde ont, jag var rädd att bli med barn...

Ensam måste jag bära till graven det minne som smärta och vanmakt graverade i min hjärna. En vass skärva i jagets djupaste lager. Den dag jag blev människa och första gången såg solen, den blinda.

Smärta och vanmakt tvingar fram ett skrik, men de som lyssnar vill inte förstå. De skrattar högljutt och ler men vill inte komma till hjälp. Var det ett förebud, ett tecken?

Förklaringen var nog enkel. Min far fann mitt elände komiskt, han sa en rolighet och skrattade högljutt, mina systrar instämde ängsligt, för att inte reta den fruktansvärde. Den far som borde ge kärlek och trygghet ingav oss bara skräck.

Och solen var blind och grym.

2

Kom, tystnad, kom!

Men varför anropa tystnaden? Var jag inte alltid tigande och förklädd? Att tala om de svåra minnena, om barndomens vanmakt och skräck, verkade meningslöst och förmätet i folkmordens tid, i en släkt så härjad och hemsökt. Pliktmedveten som en flyttkarl bar diktens Aeneas sina eldhärjade penater och plågade anförvanter ut ur den ruinerade staden. Visst kunde det egna skymta ibland, gestaltat, fördolt. Kom, tystnad, kom – vad har du för rätt att klaga, du som har överlevat ändå? Du som fick uppleva det största i livet – att sluta friska barn i din famn?

Men plötsligt är det afton, och tystnaden bryts av gubbaktig pratsjuka, som om detta självömkande mummel, dessa vilda skrik vid nattens gräns kunde försona livsnederlag... Som om någon försoning vore möjlig i detta liv som är starkare än jag...

Som om lukrativa bekännelser om laster och brott hade en mening. Jag var tarvlig, feg och låg, som du. Men mer än nog om det – kom, tystnad, kom...

Det dyrbara och stora kunde ej heller återges i ord. Landsflyktig var jag från ett rike, där helig tystnad råder. Om detta mitt sanna fosterland kunde jag aldrig berätta.

Fann inte ens några gudaväsen där borta i land som är avlägset land.

Kom, tystnad, kom! Med dunkelblåa vingar
mig överhölj och näps de fräcka ljuden,
som våga själens helga sabbat störa!

Men till skillnad från den svenska diktens förvridne ärkeängel hade jag ingen sabbat att fira. De fräcka ljuden var min egen dikt. Allt som återstår är tystnad nu, medan kroppen vittrar och förfaller.

Ännu några ord och tystnad sedan.

3

Jag föddes den 26 maj 1931 på Swan River Valley Hospital. I vuxen ålder har jag bott på ett motell tvärs över vägen och betraktat den moderniserade sjukstugan i ett pliktskyldigt försök att känna något för synen. Vad skulle jag känna? Jag föddes i det där huset. Jaha.

Min mor hade fått värkar sedan hon förlyft sig i hårt arbete. Jag föddes sex veckor för tidigt, var ändå stor och tung och svår att bringa till världen. Min förtidiga nedkomst kan möjligen förklara min oregelbundna kroppsbyggnad. Vänster kroppshalva är större än den högra, min vänstra fot likaså. Mitt vänstra öga är svagt. Jag kommer att dö av hjärnblödning.

När jag var i tonåren berättade min far, att jag var frukten av en brusten kondom. Han skrattade bullersamt sedan han sagt mig detta. Själv kände jag obehag.

Sista gången jag fick höra om min oönskade tillkomst var när jag besökte honom i Minitonas sommaren 1947. Det rådde då ingen endräkt oss emellan. Det var inte berättelsen om min avlelse som förargade mig, vid sådant var jag van. Däremot blev jag arg när han smädade min äldsta syster. Då reste jag mig i raseri mot min far, kanske var det bra för min självkänsla. Demonen blev ursinnig över min revolt och ville skjuta mig med gevär.

Relationen till min far har bestämt mitt lynne. Jag kan ibland vara inställsam och försöka behaga med skämtan och gyckel, som när jag sökte behaga honom. Om man inte är en pretentiös dumskalle, som tar sitt skrivande allvarligt, är metoden bra vid umgänge med massmedier, som vanligen uppfattar diktare som idioter.

Detta är bara en av de invanda rollerna. I ensamheten kan jag försjunka i melankoli och passivitet. Eller jag kan resa mig i vrede mot vad jag ser som grymhet, orättvisa och korruption.

Tyranner och mutkolvar reagerar då som min far med rättmätig vrede. Ingen har dock skjutit efter mig med gevär.

Det finns så många andra metoder.

Om jag var ett oönskat barn, tillkommet av en olycka, hade väl det sin enkla förklaring. Preventivmedel var dyra och svåra att skaffa, jag minns det från 1947, då kåta kamrater i Minitonas jagade "French Safes", som de hette. Min far hade inte råd att skaffa fler barn, min mor ville väl inte. Hon längtade hem till Sverige och darrade för sin man, i hans famn kände hon bara skräck. Tre döttrar hade hon fött, en hade avlidit som späd. Depressionen låg tung över Manitoba, födan var knapp. Det oönskade barnet var ännu en mun att mätta.

Ändå lär jag ha bringat glädje i huset. Ett familjejordbruk behöver en son till utearbetet, att avla och föda en son var hedersamt. Släktens fäder krävde fortlevnad i ett nytt liv. Pojken döptes till Axel efter sin olycklige morfar, till Herman efter sin tyske farfar. Sven var ett nytt namn i släkten, men modern krävde ett svenskt namn till denne kanadensiske medborgare. Hon längtade hem.

Av släkten Delblanc ärvde han högrest, atletisk kroppsbyggnad, rik hårväxt, fylliga läppar. Dock var han blond som männen på mödernet och hade svaga ögon som sin morfar. Han kunde flamma upp i vrede som en Delblanc, men var mestadels tyst, melankolisk och hudlöst överkänslig som modern. På bägge sidor av släkten fanns talang för muntlig berättarkonst, drastisk och skämtsam på fädernet, underfundig och värmländsk på mödernet.

Pojken blev tidigt skrämd av sin far och bortskämd av sin mor. Han sökte sig till modern men föraktade henne för kvinnlig svaghet. Han beundrade fadern ibland men skalv av skräck. Av den ständiga skräcken blev han sängvätare ända fram till puberteten.

Han föddes för övrigt inte i ”det där huset”. Sjukhuset i Swan River Valley har längesedan rivits och ersatts av ett nytt.

4

Arv och miljö. Arvet var betungande, tiderna onda. Ett järnvägsbolag i Manitoba sålde jord för att få resenärer och gods att frakta. Fadern köpte på tjugotalet en kvartssektion och familjen förekom i bolagets reklam som lovvärt föredöme. Oavsiktligt lockade de andra i fördärvet.

Farmen låg långt norrut, och vetet mognade med knapp nöd. Man hankade sig fram till depressionen, året 1928 gav en rik skörd. Så kom sammanbrottet på Wall Street 1929, och vetet kunde inte längre säljas. Pengar var alltid sällsynta i Swan River-dalen, ännu så sent som 1947. Man levde på kredit tills skörden kunde säljas och räkningarna klareras, därpå började en ny tid av kredit i butiker och banker. Någon sällsynt kvartsdollar av silver med Georg V:s huvud i kejsarkrona var en skatt att andäktig beundra. En grå nickel eller kopparröd encentare med lönnlöv köpte mängder av snask i Mr Rubins speceributik.

Mina systrar gick i skolan i West Favelle, som var nybyggarnas sociala centrum, med baseballplan och hockeyrink vintertid. Här firades skördefester kring flaggstången med en urblekt Union Jack. Grannsämjan var god, man gick ur hus i hus i en vänlig och utåtriktad gemenskap, som inte var vanlig i Sverige. När kvinnor ställde till storbak sändes alltid smaklimpor till grannarna. Ingen "kom och störde", alla var välkomna att sitta ner och ta för sig av den enkla kosten.

Indianerna var dock inte med i denna gemenskap. Man såg dem inte, jag tror man förträngde deras existens. Jag blev själv förvånad när jag återkom i femtioårsåldern och fann dem överallt. Som barn och yngling hade jag inte sett dem.

Åren gick, depressionen hängde blytung över Swan River-dalen. Några lämnade sina farmer och flydde, de flesta klamrade sig fast vid jorden. Den svåraste missväxten drabbade en triangel med spetsen i centrala Saskatchewan och basen i södra Manitoba och Alberta. I det nordliga, vattenrika parklandskapet kunde man ännu dra fram skördar. De flesta satt på familjejordbruk med kor, svin, höns, köksträdgårdar. Pengar felades men inte mat för dagen, fast man oftast saknade kött, alltid kläder, kryddor, kaffe, te, socker. Kläder lappades, lagades, skarvades och vändes. Man åt gröt, potatis, ägg, slaktmaten förfors eller kom smaklös på bordet av brist på kryddor. Kvinnor suktade efter te, män efter tobak, barn efter sötsaker. Missnöjet dämpades när flyktingkaravanerna från Saskatchewan vällde in från öster. Ingen fattigdom kunde ömka sig själv efter anblicken av den hålögda nöden.

Jag hade bott där än i dag om inte en gammal mans nyckfulla givmildhet hade räddat oss. Men det var inte Vår Herre som hjälpte. Att vara människor till tröst och hjälp såg Han aldrig som angeläget. Hans uppgift var en annan.

5

Av social ”välfärd” fanns ej mycket i dalen, ej heller i gamla landet. I stället kom kristlig barmhärtighet, inbördes hjälp grannar emellan, och viktigast av allt – familjen.

Barnkullarna var stora. Att bilda familj och sätta bo krävde pengar som bara sent ville förslå, många blev ensamma, ofta levde syskon tillsammans från vaggan till graven. Livets träd hängde fullt av arvtanter och onklar, när den kalla höstvinden kom kunde ärvda slantar falla i förklädet som mogen frukt. Många skulle dela, summorna blev små. Vad en grandonkel i Californien lämnade min mor räckte dock till ångbåtsbiljetter till Sverige. Farmen min far odlat upp kunde inte säljas. Den förblev hans värdelösa egendom till dess han återvände 1946. Inga farmer såldes eller köptes den tiden i dalen.

Vi for hem över Boston, inbjudna av faster Louise, en av dessa arvtanter som borde odlas och smekas med smicker och söta ord.

Farmor Meta kom av en slaktarfamilj i Kolding, och hennes syster Louise hade tidigt utvandrat till USA. I Boston hade hon efter år av arbete och möda skaffat sig en fin damekipering. Hon for regelbundet till Paris för att följa modet och köpa nya modeller.

Hon anlade fransk accent när Rosie Kennedy och andra guldhöns kom i butiken för att handla. Det lät europeiskt och fint och lockade damerna till köp.

Tant Louise var gift med Ralph, som drack whisky och hade näsa som ett sviskon. De hade inga barn. Farmor slickade sin syster i ändlösa brev och kokade en allt tunnare soppa på barndomsminnenas ben. Hon hatade onkel Ralph, som kunde bli ensam om arvet. I breven suckade hon över det ekonomiska lättsinne som följde på missbruk av bourbon on the rocks. Tålmodigt dröp hon gift i systerns själ.

Solbrynta, svultna, luggslitna dök vi upp i tante Louises eleganta salonger för att treva efter arvet med hårda händer. Onkel Ralph såg oss med vedervilja, drack och blånade allt mera. Tante Louise kände vår nakna girighet och höll hårt i sin handväska. En svart husa gav oss stekt kalkon med cranberries. Jag åt med händerna, och min far rapade och kliade sig i huvudet med gaffeln, som hans sed var. Tante Louise blev tystlåten och blek.

Jag nattades efter middagen, så familjen ostörd kunde driva sin charmoffensiv. På något sätt bör jag ha känt mig övergiven och förorättad, van som jag var att stå i centrum för intresset. Från övre våningen löpte en mäktig trappa till hallen, som byggd för operettprimadonnors entré i lamé och strass. Jag lämnade sängkammaren, satte mig hukande i trappan och avbördade mig den stekta kalkonen. Den vilda uppståndelse som följde på min protest gjorde händelsen till mitt andra kvardröjande minne.

Min annars så banala förrättning samlade en bukett av vaxbleka, blåa, solbrynta och svarta ansikten omkring mig. Jag bör ha grubblat över moralens relativitet – varför var detta så skandalöst i Boston, när det i vårt ruckel i Minitonas var tämligen harmlöst? Moralen var alltså beroende av moment och miljö? Lagens tavlor föll sönder så fort de flyttades från Sinai. Det kändes nedslående för mitt barnasinne, jag grät bittert, och de vuxna torde ha blidkats, för jag minns inget mer av den kvällen.

Jag vet emellertid, att vi aldrig ärvde ett nickel av tante Louise.

6

Arv och miljö. Detta grymma sekel. De som inte bar arv av den "ariska" rasen sattes i läger för att dö. De som inte kunde bli nya människor i det samhälle som skulle skapa ett paradis sattes i läger för att dö. Han som trodde på ras och arv blev den stora boven, sedan han väl besegrats. De bovar som segrat smektes av våra intellektuella.

Att avsky Hitler, att minnas hans grymma brott blev en tröstande illusion. Andra brottslingar än han behövde vi inte minnas. Och vi kunde glömma att folkmord begåtts så länge människor levat på vår dödsdömda planet.

Arv och miljö. I min släkt står jag upprätt som en av få, en söndrig kolonn på ett ruinfält som Baalbeks. Fantasins rördrommar och pingviner häckar på mitt kapitäl. En söndrig kolonn, ändå upprätt bland alla som störtat i gruset, självmördare, förmörkade, förtidigt döda. Den som står upprätt vacklar mellan två drifter – stolthetens krav att stå rak, uppgivelsens längtan att störta och finna ro i förfallets dvala.

Morgonens ångest inbjuder till fall. Aldrig är man sten som under dessa bleka timmar, kännande sten, dessvärre, kropp av sten som vittrar och sprängs av vinterns kyla och sommarens värme. Vad gagnar det sten att blommande ogräs växer i sprickorna, att brokiga ödlor slingrar runt kolonnens midja av marmor? Fallet måste ju ändå komma – varför inte påskynda slutet? Eller åtminstone ligga kolonnrak i stenvit vila? Morbror Carl förvarades i en fårkätte i början av sin förmörkelses tid, kanske var det en trygghet att ligga där i sin orenlighet med en grimma om huvudet? Varför skulle inte jag falla? Kanske med en flaska vid min sida, som enkel förklaring, till bröders glädje och förlustelse.

Jag är halvblind dessa morgontimmar och kan inte läsa, kan inte, vill inte. Vad tidningen vet att berätta är ändå för ohyggligt. Jag vill inte se. Att se, att älska. Att orka se och ändå älska. Att orka se i det mörka landet av evig natt och ändå älska. Ögat en hieroglyf på min vittrade kropp av sten, ett öga ingen ville möta. Ett tecken ingen ville tyda.

Så många tecken man inte kunde tyda.

Livets vassa bröstvårta stack i min mun, jag skrek och munterheten blev stor. En barndom så grym, att det blev omöjligt att berätta. Det finns så mycket jag inte ens nu kan berätta. Vad tjänar det till? Ingen kommer att tro mig. De som genomled helvetet vid min sida kan betyga sanningen, men inte heller de lär bli trodda. De som ännu inte förstummats av döden.

Och för en diktare det svåra, att sanningen aldrig kunde sägas. Mänskliga hänsyn, ja, men framförallt det självklara, att sanningen skulle förkastas, sådant ville ej läsarna ha, ej heller kritiken. Konststycket blev att ljuga och spela pajas, klä ut sin radikalpessimism i symbolisk dräkt. Socialt elände var ett legitimt ämne, men inte detta. Att ljuga eller tiga blev valet. Eller tala i förklädnad.

Men vid ålderdomens tröskel, innan tystnaden kom, återstod att föda sanningen, hur smärtsamt det än kunde vara.

Morgonsolen bara är och hyser ingen barmhärtighet, men när det första ljuset faller på mitt pelarhuvud börjar livet sakta återvända. Lemmar av marmor och porfyr blir till kött och blod. Jag måste stå upprätt. Jag måste skriva och vara en rolig djävul, ännu en tid. Jag måste klä mig i kostym och sitta klok i styrelser och nämnder. Allt för att upprätta morbror Carl och farbror Stig och alla de andra som förmörkades eller själva släckte sin levnads ljus.

Jag måste stå upprätt ännu en dag.

Och jag öppnar dagens tidning och läser om dagens folkmord: det sägs tjäna framtidens lyckorike. Kanske läser jag en text om mig själv, där man prisar det usla jag gjort och klandrar det goda och kallar min dröm om rättvisa och heder för skändlighet och mordlust. Ungefär som väntat. Jag vet ändå att jag kan stå upprätt ännu en dag.

Fågelboet har vaknat på mitt pelarhuvud, brokiga ödlor slingrar kring en kropp av sten.

Ännu en dag står kolonnen rak.

7

Men det finns dagar då fågelsången tystnar...

Fågelsången? Men det är decennier sedan jag hörde fåglarna sjunga, i mina söndersprängda öron ljuder bara det eviga brus, som ska vänja mig i tid att lyssna till vinden över Lethe och Styx.

Men det finns dagar, då jag inte orkar gå ut.

Jag vet ju att medmänniskors blickar mestadels är likgiltiga och tomma, någon gång lite nyfikna, men jag ser hat och vedervilja vart jag än vänder mig.

Svåra morgnar ligger jag i barnkammaren, där urvuxna kläder hänger kvar, bortglömda sagoböcker samlar damm på hyllan.

> Grief fills the room up of my absent child,
> lies in his bed, walks up and down with me,
> puts on his pretty looks, repeats his words,
> remembers me with all his gracious parts,
> stuffs out his vacant garments with his form...

Men barnen är ju längesedan vuxna, sin far till glädje och heder, som den troskyldiga frasen lyder. Min längtan efter dem är bara överkänslighetens blinda egoism.

Att stelna till en av dessa tröttsamma åldringar, som de unga måste blidka, smeka, manipulera...

Svåra morgnar, svåra dagar. Nå, överkänslighet hör yrket till. Värst är kanske denna kluvenhet, som bara döden överbryggar. Jag mäter och förklarar denna verklighet med positivismens och materialismens enkla måttstock. Och marteras samtidigt av en längtan tillbaka till mystikens avlägsna land, som inte ryms på förnuftets karta. Ser i ökensanden fotavtrycken av en Gud som inte finns, som spåren av ett mytens vilddjur. Landet som inte är, guden som inte finns i förnuftets öken.

Vad återstår? Att ligga på sängen i barnkammaren och vänta på stunden då mörkret faller, en dag är förbi. Människors ögon orkar jag inte uthärda i dag.

Ögon som kanske skulle avslöja och inse, att jag är en maskerad, en förklädd. Eller kanske ett vidunder. Kentauren döljer sig helst i sin grotta.

Men borde jag inte samla mina sista krafter och berätta, innan mörkret och den slutliga tystnaden sänks?

Kom, tystnad, kom...

Nej, inte riktigt ännu.

Inte ännu.

Berätta, alltid berätta för att hålla tystnaden på avstånd, om du tiger är du förlorad, om du låter dig falla reser du dig aldrig mer. Stå upprätt och tala, likgiltigt hur. Om du faller är du förlorad.

Sällsamma minne – under en tid på en institution för sjuka själar skrev jag som aldrig senare eller förr. Jag låg om natten medvetslös av dessa psykofarmaka, men jag tvingade mig att vakna på efternatten. Då var jag någorlunda klar och arbetsför. Och jag grep efter spiralblock och penna och jag skrev och skrev. Inte om den blinde guden, inte om min sorg och förtvivlan. Jag skrev om folket i Hedeby och dess upptåg, om Mon Cousin som flaxade runt som en fågel, om gemytliga borgare på Stadshotellet i Trosa, Chagall, Brueghel, folklig fars, en tavla målad av en blind och förlamad.

Snart kom morgonsköterskan med vänliga ord och mäktiga doser tryptizol, som skulle förvandla mig till en stel och tigande mumie.

Några timmar hade mumien ändå stått rak.

Kom, tystnad, kom...

Du behöver inta kalla på mig, säger tystnaden.

Jag kommer ändå.

8

Vad betyder ett människoliv i folkmordens sekel? Ett liv betyder ingenting – men vad kan uppväga ett liv, som är det enda jag äger? Det enda egna jag har att berätta om.

Många nära och kära förmörkades eller slösade med sina liv, som om de haft tusen liv i förvar. Att jag orkade stå upprätt så länge, inte förbruka mitt liv mer än andra, inte skada och plåga, avsiktligt, oavsiktligt, mer än vad som tycks oundgängligt – vem lever utan att skada? – var anledning nog till förundran, kanske tacksamhet. Att jag skrev för min egen överlevnad var möjligen fel, det är livet man ska tjäna, andras liv, inte sitt eget. Hur mina texter bemöttes var ofta pinsamt, aldrig bestämmande. Att synas, vara offentlig, var svårt. Ingen kunde ju veta att jag skämtade för att behaga en tyrannisk far eller för att revoltera mot honom, ibland såg med ömhet på den plågade kvinnlighet min mor företrädde.

I vitterhetens stia trängdes grisarna vid Maktens ho eller skrek om sina program, det var ofta pinsamt, alltid ovidkommande. I ett sekel då människoliv öddes som boss kunde den livsoduglige överleva genom att skriva ord på papper. Skulle han kräva förståelse dessutom? Vad hade han gjort för att vinna mer än slöa blickar och grymtande nedlåtenhet?

Livet ville, att han kom att syssla med de stora diktarna, de som dör lika långsamt som bergen. Vad hade han själv att ge som kunde jämföras med detta? Ingenting! Ödmjukhet? Nej, bara sunt förnuft.

Stort nog att överleva med ordens hjälp.

Stort nog att bara stå upprätt på ruinfältet.

9

Jag föddes 1931, ett fasans år av oro och nöd, då folkmorden ruvades som sprickiga ägg. Det var Kanadas krisår, men även Europa var skakat. Guldmyntfoten övergavs, valutorna åkte i utförsbacke. Missväxten var allmän, tullmurarna växte. Det var politisk oro i Kanada som i Sverige. I Ådalen stupade fyra demonstranter och en åskådare för militärens kulor. Att de blev martyrer visar kanske, att detta nordliga land varit jämförelsevis förskonat. Demokratin kom i vanrykte, Weimar och Frankrikes tredje republik skakades av feber och frossa. Mussolini skramlade med svärdet och grälade på Vatikanen för att förströ sina folkmassor. I Sovjet hårdnade Stalins grepp, medan liberala västerlänningar fraktades runt och med jubelskrän såg på daghem, fabriker, dammar. Gide var fortfarande kommunist. Framtiden mognade som reptilens ägg. Norges försvarsminister hette Vidkun Quisling. I Finland blev Mannerheim vald till överbefälhavare i händelse av krig. Fysiker som Fermi, Hahn och Meitner ruvade milt leende på ägg av uran.

Det svenska främlingshatet fick ett komiskt uttryck. En politisk ledare bad om inresetillstånd för två tyska åsiktsfränder, men fick av polismästaren det högdragna beskedet, att

”omskrivna utlänningar” inte var välkomna i Sverige.

Utlänningarna i fråga hette Hitler och Goebbels. Det gick ännu för sig att skriva snorkigt om dem.

Proust var död, liksom Rilke och Lawrence. Joyce vände ryggen till samtiden i sitt arbete med Finnegans Wake. Thomas Mann hade utslungat sin Appell till förnuftet och den mer drabbande novellen Mario och trollkarlen. Nu var han på väg in i Bibelns och myternas värld. Artaud fick en omskakande impuls av en teatergrupp från Bali, hans drömmar har ännu ej blivit verklighet. Majakovskij var död, Anna Achmatova fick ej trycka sina dikter, men Mandelstam var ännu på fri fot. Gulagarkipelagen utbyggdes, liberala västerlänningar prisade det stora, sociala experimentet. Även den andra politiska flygeln lockade, den andra eller densamma, djävulen i annan förklädnad. Pound kittlades av galna ekonomiska teorier, Céline anträdde sin grymma nattresa.

Diktare och intellektuella slösade bort sin trovärdighet genom ett hylla tyranner, som utrotade hela folkslag och härjade och förgiftade jorden. Detta skulle inge mig oro och ofta uppta min dikt, till stor förvåning – men vad hade man väntat sig?

Vanmaktens och illusionernas sekel. I de intellektuellas salonger firades häxsabbat med religionssubstitutens liturgier, spiritism, psykoanalys, dialektisk materialism, av illusionernas nattvardsvin drack man sig till styrka och naiv övertygelse att förstå och bemästra denna värld, som obevekligt gick under, sjöng psalmer för att bemästra sin skräck under nattens valv. Hatet mot oliktänkande gav en aning om den osäkerhet och ångest som rådde. Bara när man nödvändigt måste producera kärnvapen och miljögift tvangs man beträda förnuftets väg, alla växelljus lyste grönt när positivismen for den enda tillåtna vägen, mot vapensmedjan Inferno. Och den blinde guden log.

Jag föddes till världen det år reptiler ruvade på ägg. Jag såg mänskligheten störta i ormgropen, låt vara på tryggt avstånd.

En välgödd västerlänning fick överleva i folkmordens sekel – vad hade han att klaga över?

Döm själv.

10

Att berätta om barndomens landskap, vad tjänar det till? Allt är sjunket i tidens brunn, det förflutna kan inte återskapas. Pojken som en gång var brinnande patriot känner nu bara skräck för sitt land. Illusionernas varma atmosfär har blåst bort, allting är naket och kallt. Ett land på väg att åter bli en fattig avkrok av Europa lever på myten om sin egen förträfflighet. Dess hat mot sanningssägare och avvikare är iskallt som vanligt. Jag är rädd för Sverige.

Ja, satsen är absurd. Vilket Sverige avses? Kanske de institutioner som först piskar diktare till döds och sen kastar åt kadavren en beta bröd, för att visa sitt ädelmod. Vad avses? Jag vet inte. Vet bara att satsen bultar i mitt huvud, åter och åter: jag är rädd för Sverige. Jag är Isak dold i en grotta, mitt flykthål förmörkas av en fadersgestalt med flintkniv i handen, snarkande av grymhet, Sverige.

Dessa flyktdrömmar var dag och stund. Vart ska jag fly? Var finns den kyrktrappa i Spanien eller Italien, där jag kan tigga mitt uppehälle? Var i Winnipeg kan jag bo? Kanske på andra sidan floden, i S:t Boniface, bland franskkanadensare? Min franska duger nog för att jag ska framställa mig som invandrare från Elsass...

Vänliga människor i S:t Boniface ska ge mig en hacka till öl. Tack, goda landsmän, j'espère que le bon Dieu vous aie dans sa digne et sainte garde...

Men jag kan inte fly. Jag sitter längst in i en grotta, medan en mordisk fader bökar sig in för att spetsa mig på kniven. Längre och längre in, det är bara en tidsfråga nu.

Jag är rädd för Sverige.

11

Gården hette Mölna, mer exakt Mölna Övre, men Mölna Nedre var nu bara en villa på en måttlig tomt. Som namnen anger hade de en gång varit kvarnar, och skåriga stenar framför alla portar minde om det som varit. Husby kvarn vid dämmet nere i samhället hade längesedan slagit ut konkurrenterna.

Gården låg vid stora landsvägen väster om Vagnhärad, på vägen till Lästringe. Jorden var trettiofem hektar lerjord och svartmylla på lerbotten, därtill lite värdelös skog, mycket nog för ett familjejordbruk. Fadern fick arbeta hårt, pojken sattes tidigt till tunga sysslor. Gården var köpt på lån, och pojken skulle minnas de ängsliga dagar, då ränta och amortering måste betalas. Trettiotalets upprustning gav en välsignad högkonjunktur, som räddade det vådliga företaget. År 1940 hade taxeringsvärdet gått upp till 30 000 kronor. När den såldes tre år senare blev det en slant över sedan bankerna fått sitt.

Manbyggnaden gjorde ett försök att leka herrgård och ser ståtlig ut i dag, helt renoverad. På vår tid var det gamla huset förfallet. Två reveterade flyglar stod med sår i rappningen, som blottade vassmattans skelett. Västra flygeln var otjänlig till människoboning och nyttjades som visthusbod och förråd: där svävade en god lukt av mjöl och rökat fläsk. Bortom den flygeln, i slänten upp mot lagården, låg en köksträdgård, som under trettiotalets varma somrar bjöd på mogen majs, att ätas kokt på kolven, med smält smör. I majsens solvarma djungel kunde pojken gömma sig för sin far.

I östra flygeln kunde bottenvåningen ännu bebos och uthyrdes tidvis för tjugo kronor i månaden. En hyresgäst höll Folkets Dagblad och var anhängare av Flyg. Detta gynnade ej grannsämjan. Fadern var bondeförbundare och modern frisinnad: nazismen såg de tidigt med motvilja.

I manbyggnaden fanns tre rum och kök, på vinden två rum, av vilka bara ett var vinterbonat. Huset var övervuxet av vildvin, rött om hösten, sommartid en grön päls, som skymde utsikten till trädgården. Därtill var fönsterglasen bevarade från husets byggnadstid på 1700-talet, såpgröna och blåsiga glas, som gav en dunkel och förvriden utsikt i trädgården. När solen föll in tecknades gröna schackbräden på skurgolvets breda, gropiga tiljor. Det var svårt att se in och svårt att se ut. Det rådde ett evigt halvdunkel på Mölna gård.

Det bidrog till den känsla av skräck, som alltid ruvade därinne.

12

Att gömma sig undan fadern blev en livsdrift, som behovet av näring, vätska och värme. Det gamla huset kunde bjuda på skrymslen och vrår, men faderns basröst sökte pojken överallt. När vreden blev stor slog rösten över i diskant, och han skrek som en galen kvinna.

Ofta var fadern i sysslor utomhus, och tungt arbete tycktes dämpa den eld som alltid brann i hans inre. Sommarens långa arbetsdagar var bäst. Vintertid var han svår, särskilt mot djuren. Sonen slog han inte så ofta. Den eviga skräcken var värst.

Husets bottenvåning bjöd ingen tillflykt. Familjen åt i köket, fadern föll ofta i vrede över maten och rasade högt. Han sov i rummet intill. På kontoret skötte han sitt skrivgöra, det lilla som krävdes. Salen med matbordet stod mestadels tom, i skräckens hus kom sällan gäster. I salen kunde pojken inte gömma sig, då blev det misstankar och vrede. Vaffan gör du här? Gör nåt nyttigt, för helvete!

På vinden kunde han sticka sig undan ibland, särskilt när fadern var bortrest. Sommartid var det nästan trivsamt där, med utrangerade möbler och en gammal bokhylla, och fönstret öppet mot balkongen, varifrån sommarbrisen ibland strök in för att fylla den stoppade trådgardinen i en mjuk bölja. Någon av systrarna hade prytt det gamla bordet med en nyponros i en konservburk av glas. Fadern var långt borta, pojken försjönk i läsning. När han höjde blicken hade rosen fällt ett kronblad på linneduken.

På väggen hängde en bild som föreställde Jesus, som klappade på en dörr och bar en brinnande lykta i handen. Jesus klappar på dörren, se till så du är beredd att öppna och ta emot!

På portarna till skräckens hus hade han aldrig knackat. Mölna var ett hus som Jesus gick förbi.

13

Mölna tedde sig mer herrskapligt än jordbruket medgav, byggt med brädfodring över liggande timmer, förmodligen på 1700-talet. Mölna Nedre hade lytt under det grevliga Thureholm, vår gård hade haft frälse, fast jag ej kan upptäcka blåblodingar i ägarlängden. Mycket jord hade sålts ut sedan kvarnen tystnat och sågen stannat, utom för husbehov. Gården var deklasserad och en smula förfallen.

Många fruktträd i något som liknade park var stumma vittnen om svunnet välstånd. Till dels bar de okänd frukt, som längesen kommit ur odling. Framför gårdsplanen stod ett skyhögt päronträd med namnlös frukt, små och tämligen fadda augustipäron. Halva trädet bröts av en höststorm och hängde fast vid moderstammen med några fuktiga, gulvita fibrer. Ändå mognade frukten i stor ymnighet, i en sällsam livsvilja, som gjorde mig undrande och upprörd.

Där fanns Åkerö, Gravenstein, Sävestaholm och Melon, utom de namnlösa, utdöda arterna. Ett finpäronträd, kanske Williams, gav frukter som kokades in med kanel för sällsynta kalas. Mycket var vinterfrukt, som lades att eftermogna i salen eller på vinden, i en vällukt som änglars andedräkt. Det hände att vi åt av husets äpplen ända till april.

Mölna var förfallet till bondgård, och trädgården var därför övervuxen och vanvårdad: i det feta ogräset kunde man finna vaxbleka jordgubbar. Ändå gav träd och buskar rika skördar genom trettiotalets varma somrar. Det mesta frös bort under de första krigsvintrarnas stränga vinterköld, även den stora kastanjeallén vid vägen. Nu finns ingenting kvar, utom en förvildad körsbärsdunge i västerslänten. Där satt jag och spottade kärnor en sommardag, och de flesta rotades och växte av någon naturens nyck.

I gamla tider bör man ha odlat kirskål – som vi helt enkelt kallade kärs – som läkeört eller till föda, för trädgården var helt övervuxen av denna växt, degraderad till ärggrönt och livskraftigt ogräs. Den kämpade framgångsrikt med tistlar och nässlor, vitplister och doftande loka. Pepparrot frodades i dikesrenar, rabarber växte vilt. Grönskan gav välkomna gömställen: dold under väldiga kardborrblad hörde jag ropen som kallade till arbete och plikt. Solen silade in, sommaren luktade anis och honung.

Även vallört och lungört växte ymnigt överallt, kanske förvildade från någon örtagård. Många av dessa växter hade förvisso ”dygder” och nyttigheter, som längesen fallit i glömska. Något mindes man ännu, sålunda åt man nässelsoppa om våren, med ägghalvans vänliga solöga i den vaggande, ljusgröna vätskeskivan. Man talade ännu om ”vårtrötthet”, en farlig svaghet i gamla tider, då särskilt de gamla dog om våren i bristsjukdomar. Nässelsoppan frälste från den mattighet, som var skörbjuggens första tecken.

Femtio år på jorden är nu mer än nog för att ändra växtlighetens ansikte. De gula rapsfälten var okända då, mjölke en sällsynt växt, innan den spriddes över landet från nordliga kalhyggen. Besprutningar tycks ha gallrat bland åkrarnas vackra ogräs, den blå oxtungan och den blekröda åkervindan vid renen, den röda och den blå klinten, kryddstark gulmåra och rusande renfana, gula fibblor och flammande vallmo. De levde för skönheten och hatades av nyttan och tycks mera sällsynta nu.

Hagarna har vuxit igen alltmera, dessa sammetsgröna marker för hagtorn och slån, där backsippan gav en ljuv föraning om flickornas mjukhet. Nyponros blommade där och tiden stod stilla. Bara lärkorna rördes och svävade i sin eviga sång.

14

Att gömma sig undan fadern blev en fin konst.

Under logen fanns en säker tillflykt.

Det faluröda träskjulet stod på höga stenfötter, och hönsen gömde sig därunder för att lägga sina ägg i lönn. Det hörde till pojkens uppgifter att krypa dit och plundra deras reden.

Alltså hade han rätt att gömma sig under logen och vara fredad där. Om fadern fann honom kunde han alltid skylla på sitt uppdrag – jag letar bara efter ägg!

Han kunde ligga där i timmar bland rester av söndriga slädar, skaklar och seldon, i den sövande lukten av mjöl och damm. Där var han fredad och någorlunda trygg.

En gång fann han en höna där, som han inte kunde skrämma. Hon ville värna det liv hon värmde, trots den mordiska övermakt pojken innebar.

Hon vände och vände huvudet för att se honom, och han kände igen uttrycket i hennes ögon. Skräck var det, därtill den hopplösa övertygelsen – han är starkare än jag. Ändå låg hon kvar för att värna sina ägg.

Han rös av en insikt, som inte ville bli tydlig och klar. Kanske något om det förnedrande tvånget att överleva.

Han ryckte till när han hörde faderns gälla skrik utanför och stack handen under den fjuniga buken för att treva efter ägg. Hönan gav till ett jämmerligt skrockande men låg kvar som förut.

Hon hade gjort vad hon kunnat för att värna livet. Men pojken var starkare.

Det är säkert ett vindägg, sa han, för att lugna sitt samvete.

Han sträckte fram det vita ägget mot fadern för att beveka – det är inte som jag har gömt mig, jag har letat efter ägg!

Av spänningen krossades det sköra ägget i hans grepp. Liv flöt mellan hans fingrar.

15

Fadern slog ofta sina husdjur, de kunde bara råma och kvida, vända ögonvitorna utåt, streta med huvudet i klav och grimma. Deras enda förnimmelse var – han är starkare än jag. Det är som det måste vara!

Så tänkte också pojken när han skalv i sin eviga skräck. Men ibland kom en känsla som inte hör till djurens värld – kravet på Rättvisa, vreden över en Orättvisa.

En gång blev vreden så stark att han rymde.

Som alla barn lekte han med drömmen att rymma, men de fåtaliga försöken blev halvhjärtade, kanske en kort utflykt till skogen, som uppgavs i resignation. Fadern var ändå allsmäktig, hans vrede skulle jaga sonen till jordens ände.

En gång försökte han på allvar.

Det var en Orättvisa som skett. Vad? Det hände att fadern tog ifrån honom en leksak och gav den till ett barn på besök, det var flott och galant men orättvist.

Någonting sådant. Men den här gången sprang inte pojken till skogs, han gömde sig i källargrunden till ett rivet hus. Där låg halm och torkad vass, han borrade sig ner så bara näsborrarna stack upp. Han brann av en het åstundan att förvandlas till sten. Det gör inte ont i sten, hur våldsam än makten må vara.

Han låg fjorton timmar i sitt rede för att förvandlas till sten.

Som tiden gick började man ropa efter honom, systrarna, slutligen modern. Det störde hans bemödanden att förstenas, han insåg motvilligt att han i kampen för Rättvisa skulle skada oskyldiga. Modern och systrarna skulle bli lidande. Var det ett pris som Rättvisan krävde?

Det var redan mörkt när storasyster äntligen fann honom, på en gång ursinnig och gråtande av lättnad.

Och han fördes in till sin domare.

De många timmarnas frånvaro hade tvingat makten och vreden till försonlighet. Fadern mumlade något överslätande och gav pojken sin trasiga dollarklocka, en sorts billigt fickur av nickel, som bönderna ofta nyttjade.

Gåvan var så storartad att pojken glömde allt om Rättvisa. De närmaste dagarna skruvade han i sär klockan och satte den samman på nytt. Slutligen började den ticka och gå. Pojken hade en egen klocka som gick!

Oförståndigt nog visade han upp den tickande klockan för sin far. Han ville ha beröm för sin händighet.

Fadern lyssnade på verket.

– Går klockan?

– Jag har lagat den.

– Då behöver jag inte köpa nån ny.

Därmed stoppade han klockan i storvästen och återgick till sina sysslor. Han hade tagit tillbaka sin försoningsgåva.

Och pojken orkade inte längre tänka på Rättvisa.

Han är starkare än jag, tänkte han.

Det är som det måste vara.

16

Det gamla huset var hemsökt av demoner och spöken.

Alla i familjen var upplysta, moderna människor, ingen trodde på spöken, förteg dem som skamliga hemligheter, men de fanns där ändå. Mest verksam av dem var ”Karolinen”.

Namnet var påhittat, som ett smeknamn fastnar på ett hjon eller husdjur, om husets historia och legender visste de alls inget. De visste bara att Karolinen fanns och hade sin varelse på vinden. Humöret växlade, mestadels var han ganska beskedlig. Han lät sig märkas så, att han vandrade från vindens nordvästra hörn, med tunga, knarrande steg i becksömsstövlar, för att slutligen stanna rakt över ljuskronan i salen. Som upplysta människor försökte de låtsas att han inte fanns. Kanske bytte de en menande blick och en kort replik – ”Nu går han igen!”

Karolinen gick och återvände ljudlöst till sin utgångspunkt i nordvästra hörnet, för att sedan börja sin vandring på nytt. Ibland var han på dåligt humör och klampade hårt och ont. Ibland var hans steg så tunga, att ljuskronan rasade ner på salsgolvet.

Han tystnade tvärt om man gick upp på vinden för att söka honom. Karolinen tyckte inte om människors blickar. En halvtimme, kanske trekvart efter besöket på vinden, började han sin vandring på nytt.

Han var en särling i huset, han ville ha sin egenhet i fred. Vi ofredade honom ej heller utan lät honom hållas. Sprang man för mycket på vinden och snokade kunde han bli ondsint och klampa vilt. En gång försökte han sätta eld på huset, försåvitt det inte var något annat av de spöken som suckade och kved på vinden. Trots avsaknad av bindande bevis hade vi befogade misstankar riktade mot Karolinen.

Det hände mycket riktigt i stora salen, där han vanligen lät sig förnimmas. Föräldrarna hade rest bort en vintersöndag, sedan modern lagt brasor i husets kakelugnar. Systrarna tog med sig lillebror på skidutflykt, det hade kommit på modet med vinterkrig och beredskap. Storasyster greps av oro när de väl var ute i skogen, hon ville hem. Syskonen kände ingenting men hade lärt sig respektera systerns fjärrsyn. De bara undrade försynt.

– Vad är det?

– Det är nånting därhemma. Det känns fel.

De skyndade hem i största ångest, storasyster teg, stel i blicken, talade inte och svarade ej på tilltal. Hemkommen skyndade hon direkt in i salen. Det visade sig att Karolinen öppnat dubbla kakelugnsluckor och tömt hela brasan på golvet. Det glödde redan i tiljorna.

Vi talade illa om Karolinen, naturligt nog, och han höll sig stilla en tid, förmodligen skuldmedveten. Så började han klampa igen på vinden. Kanske var det överste Siegroth, ännu bitter över Poltava.

Mölna var hemsökt av spöken och demoner.

En ande uppenbarade sig en natt vid fotändan av min säng och smekte mina ben med dimmiga händer. Jag blev mycket rädd, för denna uppenbarelse var alls inte lika förtrogen som Karolinen. Det var ingen dröm, mina drömmar i barndomen har jag glömt, upplevelsen av spöket var något helt annat. På morgonen befanns jag ha bägge benen översållade av bulnader. Jag fördes till distriktssköterskan, som klippte i mina bulor med en blank sax, men de gav ingen vätska ifrån sig, bölder var det inte, hon visste inte vad. Det gav med sig efter en tid, en straffdom för okända brott, sonade ovisst hur.

Hälsans vitblå prästinna klippte mina bulnader med en slö sax, och jag led kval för okända brott.

Eller var det ett straff för att jag alltför ofta blickade in i en annan ordning?

En blåsig septemberdag fick jag se tomten. Nå, tomten är bara ett arbetsnamn som Karolinen, vem han var vet jag inte. Han påminde alls inte om de bilder av tomten jag kände, och mammas tilltag i juletid att sätta ut gröt till tomten föraktade jag som en enfaldig rit. Vad jag såg var kanske en varelse, som levde i en ordning osynlig för människor. Varför han visade sig för mig kan jag inte förklara.

Det jag kände var slående likt vad jag erfor när jag osedd mötte älg eller annat vilt i skogen. En stark spänning och en drift att snarast dra mig undan, osedd.

Han visade sig i en glugg till loftet, där jag brukade veva sädesharpan, medan min far skovlade kring det blankpolerade golvets gula vetedrivor. Av hans ställning framgick att han var dvärgvuxen. Av blickens skärpa och de kraftiga dragen syntes han vara i fyrtioårsåldern men samtidigt rynkig som en gubbe. Han tillhörde kanske en annan rytm av åldrande och tid än vår? Jag såg honom i halv profil, för han blickade mot norr, ut över ån och mot skogen bortom. Han bar en kort luva av grått ylle. Hans ansikte uttryckte uråldrig leda och sorg. Han stack ut huvudet genom en glugg för att se på människors ordning, och han tyckte inte om vad han såg.

Jag gick några steg baklänges, som en hovman inför sin konung, vände sedan och flydde. Jag såg honom aldrig mer.

Kanske tillhörde han en osynlig ordning, en av de många världar som samlever med människans, aldrig anade av oss? Kanske stod hans anförvanter därinne på loftet, nappade honom i tröjan, manade honom på okänt språk, med gnyende röster, att inte drista sig ut i människors värld.

Kanske fanns de alltid där inne, osynliga för oss, när jag vevade den brummande sädesharpan, och min far skovlade upp en driva nytröskad råg.

Vad kände dessa osynliga när de såg oss? Undran, fientlighet? Jag vet inte. Okända är de många världar som osedda sammanbor med människans.

En av otaliga varelser i en främmande ordning gjorde sig synlig för mig en blåsig septemberdag. Åtta eller nio år bör jag ha varit.

En kortvarig förnimmelse av bävande undran. Därpå trädde jag åter in i vardagens tunnel av skräck, med dess lukt av rostig taggtråd.

17

Det gamla huset var hemsökt av spöken och demoner.

Men fanns där ingen mänsklig religion? Var inte modern prästdotter? Gick de inte i högmässa för att höra kyrkoherde Axman? Jo, det hände, även sommartid, då sysslorna var betungande och fadern helst ville sova om söndagen.

– Varför i helvete måste vi visa oss för prästen, skrek han.

Det lät egendomligt. Pojken lärde sig i efterhand, att han syftade på någon biblisk bestämmelse, enligt vilken pestsmittade och spetälska skulle visa upp sig för rabbinerna i templet för att styrka, att deras sjukdom var helad. Men på Mölna frodades aldrig den sundhet och hälsa man kunde visa för menighet och präst. Rasande värjde han sin hedendom mot hustrun.

Men den tvingande vördnaden mot faderns minne gav henne krafter, och ofta nog lyckades hon tvinga på mannen en urvuxen kostym, få honom att följa sig till templet.

Fadern var osnar att resa och sätta sig enligt liturgins bud, hans tankar dröjde vid åker och äng. Modern följde högmässan i den yttersta spänning, under Välsignelsens milda ord kunde hennes stela drag få frid. Värre var det med Syndabekännelsen, som alltid sökte henne svårt.

> Jag fattig, syndig människa, som, med synd född, jämväl sedan i alla mina livsdagar på mångfaldigt sätt har brutit mot dig, bekänner av allt hjärta inför dig, helige och rättfärdige Gud, kärleksrike Fader, att jag icke har älskat dig över allting, icke min nästa såsom mig själv. Emot dig och dina heliga bud har jag syndat med tankar, ord och gärningar och vet mig fördenskull vara värd att förkastas från ditt ansikte...

Under syndabekännelsen brukade pojken se på sin mor med grymt intresse. Han såg henne bli allt blekare, hennes ansikte liknade en dödskalle. Hon visste vad pojken redan anade – att Gud är en stor hämnare, som ingenting förlåter. Han är starkare än vi.

18

Förutom de onda demonerna fanns också en mildare magi kring Mölna.

På husets nordsida växte den främmande blå blomman, hög och sällsam, annorlunda, en furste förklädd.

Ingen tog notis om örten, ingen plockade den. Pojken trodde länge att han var ensam om att se den. Blomman tillhörde en annan ordning och växte bara för honom. Vad den innebar kunde han aldrig förstå, men ibland tycktes den ge honom en tröstande blick.

Varsamhet och hänsyn krävde den dock av sin utvalde betraktare. En gång, en enda, plockade han några blommor, höga, österländskt rika som azur och lapis, kanske en bukett till gåva. Inom en minut hade den furstliga färgprakten vissnat till stinkande, brunt hö. Han hade gjort något otillåtet.

Men världen var full av förbud, och Herren en stor hämnare. Blommorna måste skonas, det insåg han nu. Det föreföll dock, att de blev allt färre som åren gick. Pojken kände deras förebrående blickar, han värjde sig med svaret att han inte kunde förstå dem, men de sa honom att han borde och måste förstå. Han led av deras blå ögonkast när han gick i den svala, magiska växtligheten på husets norrsida.

I vuxenårens enfaldiga förnuft sa han sig, att det förmodligen var förvildad akleja. Som om det hade inneburit en förklaring.

Över pojkens värld låg ett solnedgångsljus av åldrig magi. Modern mörknade när han tappade en brödbit på golvet: den heliga födan fick aldrig förfaras. En spindel fick aldrig dräpas, kanske visste man ännu, att det gudasända djuret lärt människorna väva. Svalan flög lågt och bådade regn, göken siade om vår framtid med sin fjärran, magiska klocka. Husdjur var ej bara till gagn, de tillhörde också familjen och hade att ta del i vår glädje. Att misshandla djur var ett nidingsdåd.

Pojken anade dunkelt, att en orsak till hans stora vanmakt var detta, att han inte hade pengar. Men han visste att det fanns en sorts vita, runda stenar, som förvandlas till guld om de grävs ner i jorden. Den magiska förvandlingen tar tio år, och det föreföll som en ändlös tidrymd. Om tio år skulle pojken vara åldrig men fadern sig lik: den fruktansvärde var som Gud undandragen tidens välde. Att trolla med vita stenar var svårt, men han såg ingen annan utväg.

I trädgården och i markerna runt Mölna grävde han ner sina vita stenar.

Skulle han leva tio år eller dö av misshandel och skräck dessförinnan?

Nå, han måste ändå försöka.

Han grävde ner dessa vita stenar och glömde sina gömställen sedan. Femtio år har gått, och jorden kring Mölna borde vara rik på guld. Men den åldrande mannen kommer aldrig att finna sina skatter. Han har gömt och glömt sin barndoms guld.

19

Norr om huset flöt Trosa-ån i en djup dalgång på sin långa och slingrande väg från Sillen till Östersjön. Vattnet var friskt, vi pojkar metade abborre och braxen, kattfisk för det mesta. Men uppe vid sjön tog man gädda och gös till omväxling med den eviga strömmingen från Trosa. Man kunde se i dalen uppåt sjön var ån gått fram, där växte ännu alar, tåtel och vass. Ån hade varit en viktig samfärdsled för timmer och spannmål, varje besutten bonde hade hållit egen ålkista och kvarn.

Österljung hade orten hetat innan namnet Vagnhärad slog igenom, som jag vill tro efter en kunglig fogde med namnet Vagn, skallig, dricksam och svår efter kvinnor. På en borghöjd i samhället låg nämligen ett Husby: namnet vittnade om en gammal kungsgård, som ingått i jordapanaget Uppsala Öd. Kanske hade gården en gång tillhört den konung Granmar av Södermanland, som Ingjald Illråde lömskt bragte om livet. Granmar tänker jag mig rågblond, glosögd, fet och lite dum, en lättlurad sörmlänning.

Sveriges största fornfynd av guld hade gjorts i trakten, överallt fanns gravhögar, runstenar, minnesmärken. Min far kom hem från plöjningen med skärvor av mönstrad bronsålderskeramik, gamla mynt, slutligen en stenyxa jag ännu nyttjar till brevpress.

Bygden var en miniatyr av Sverige. På slottet Tullgarn i öster residerade sommartid kung Ingjalds sentide efterträdare Gustaf V, som roade sig med krocket, canasta och gäddfiske i viken. Till kunglighetens komfort var järnvägsstationen försedd med Kungl Väntsal med baldakin och krona i gjutjärn: i lag med gemene man kunde inte svears, göters och venders konung invänta tåget. Väntsalen var övergiven mestadels, nu när kungen reste i bil till konseljen, och barnen grubblade över vad som kunde finnas bak dess fördragna gardiner, kanske fångslade upprorsmän och inmurade favoriter. Att monarken som envålds och allom bjudande Konung kunde äta obegränsat med kokosbollar och lakritsbåtar var en svindlande tanke. Säkert var, att kungen gillade melon, som slottsgartnern drev i växthus, och smultron, som vi plockade och sålde till köket. Ibland leddes vi fram för att skråla rojalistiska sånger, varvid Gustaf huldrik höll för öronen och ibland gav sin kyliga gammalmanshand att trycka, en magisk beröring, som kunde bota för fallandesjuka.

Rojalismen var djupt rotad i folket, Kungens födelsedag 1938 medförde extatiska hyllningar. Att ”gå till kungs” för att få rättvisa lät ännu meningsfullt, att kungen ville ge var man rätt även i tvister mot pampar, det visste vi ju från skolan: ”Konungen bör rätt och sanning styrka och befordra, vrångvisa och orätt hindra och förbjuda...”

Okända av oss satt spetsfundiga republikaner på sina kammare och smidde ränker för att undergräva Tronen. Att den redan var lite murken visste vi alls inte.

Vi hade egen kung i bygden, men även adeln var företrädd på finaste sätt, med en Bonde residerande på Thureholm. Enligt nu rådande mytologi bör vi ha krälat i stoftet för sådana ståndspersoner, men därav minns jag inget: min far var argsint och stolt, min mor frisinnad och så god som en annan. Kanske hade också folkhemmet fått gemene man att bli rak i ryggen, fast det vimlade av grevar och baroner, deras begravningsvapen täckte kyrkväggarna. På Nygårds bruk, som låg nästgårds till Mölna, satt baron Tamm. Min far fejdade med honom, för han hade en inäga på Tammens marker, som trots servitut alstrade ändlösa tvister. De grälade på varandra i telefon för öppna fönster, så hela bygden kunde avnjuta skällsorden. Baronen drev en tennfabrik utom jordbruket och framställde idrottspriser av bly med atletiska statyetter i heroiska poser. I bygden fanns också kalkbruk och en tämligen stark arbetarrörelse.

Fredriksdal var herrskapligt bebyggt men drevs av ofrälse ägare, likaså Herrsättra och det ståtliga Åda. Bland bondgårdarna hörde Mölna till mellanskiktet. Det fanns ännu smågårdar, som nu är bortrationaliserade sen länge. Påfallande var barnrikedomen, särskilt de fattiga möblerade med ungar. Andersson på Berga drog fram sju barn på aderton hektar, Murén på Fredriksdal-Hagby lika många på nio, arrendatorn på Backen födde åtta barn på sex, hur nu det gick ihop. De livnärdes med mjölk och bröd och potatis, och bygden kryllade av ungar, piggögda, snoriga, klädda i syskonens avlagda lumpor.

Många småbönder var självpensionerade och satt i trånga villkor. Barnen hade dragit till storstaden, jorden var såld, hypoteken inlösta, i bästa fall blev en slant över. Potatisland och kålgård gav halva födan. När krafterna förslog gick man som skördehjälp på sommaren eller i skogen om vintern. Många fiskade i Sillen till husbehov, i bästa fall hade man hushållsgris, sill och strömming var billig föda. Det var en socialgrupp som är föga känd.

Statarna var ett utdöende släkte. En enda skolkamrat var statarson från Nygård, men yrket hölls för gammaldags och kuriöst, eftertraktat bara av folk som var rädda för förändringar. Flertalet lantarbetare på godset var avlönat folk.

Tamms på Nygård var våra närmaste grannar, men där var det klent med sämjan. I nordväst bodde Andersson på Alby, en gård jämnstor med vår, dock med större och bättre skog. Tyvärr hade han bara döttrar, men hans lagårdskarl var en sällskaplig man, som jag ofta uppsökte. Han led svårt av hälta men hjulade runt med gott humör, var dessutom en klyftig karl och ett tekniskt geni, som lagade bygdens cyklar till rimliga priser. I en annan tid hade han blivit ingenjör. Han var talför, munter och kvick, länge kunde jag lyssna till honom i hans drängkammare, som luktade solution, olja och Tigerbrand. Han var en av lärarna i berättarkonst.

I sydost låg Väsby, där Stor-Sven residerade på en präktig och välskött gård. Han var kommunalpamp och driftig karl. Som jag minns det hade han ett drag av stillsam finurlighet, som gav honom böndernas aktning.

Än längre österut låg de två Husby-gårdarna, som förmodligen styckats ut av kronojord.

När jag nu läser gamla handlingar slår det mig, att var och varannan vuxen man i bygden hade eller haft politiska uppdrag i denna småskaliga demokrati. Även en så orolig ande som min far satt en tid som ledamot i kommunalfullmäktige. Storkommunernas tid var avlägsen ännu.

Rätt öster om gården låg Epa-dalen med egna hem för arbetare på jord som utstyckats från Mölna Nedre. Arbetarna började få politisk tyngd i bondebygden och företräddes av skomakare Halfvarsson i stationssamhället.

Politikerförakt fanns det inte plats för, eftersom alla hade eller kunde vänta sig politiska uppdrag. Vad som skulle göras gjorde man upp i handelsboden eller i köket hos Stor-Sven i Väsby. Det var gammaldags folkvälde.

20

Sydväst om Mölna, på andra sidan vägen, vidtog den förtrollade, ändlösa skogen. Där kunde pojken vara räddad undan sin far.

Norrut i landet hade denna glesa kulle om några hektar knappast varit värd namnet skog. Till nöds gav den vedbrand, kanske lite bär till pannkakor och gröt, sedan härjades den svårt av krigets vintrar. Det gick år innan pojken förstod, att hans förtrollade vildmark var föga mer än en halvskallig skogsplätt.

Där stigen ringlade in i skogen växte ett skyhögt fågelbärsträd. Det stod om våren som en fontän av blomning, i juli dignande av mörkröda bär. Ur ett snitt i barken dröp doftande kåda. Trädet var en vän och syster, som ville ge honom ett viktigt budskap. Något om förtröstan, trots allt, ett besked om en givande kärlek, som växer ur den kargaste mark. Jesus vek aldrig av vägen för att knacka på Mölnas port. Bara det blommande körsbärsträdet gav pojken den tro på livet, som hejdade honom på galenskapens tröskel, de många gånger han var på väg ut i mörkret.

När han i medelåldern fick eget hus kom en okänd fågel och satte ett körsbärsträd på hans tomt. Första året det blommade förstod han att detta var ett hemligt tecken, en tillåtelse kanske eller en maning att leva. Han grät av glädje när han kände igen sin syster från hembygden men erfor samtidigt sorg. Att bara förmörkas och falla var en så mäktig lockelse, men det var sålunda inte möjligt ännu. Människor flydde honom som en pestsmittad, nära och kära brusade upp i hat mot honom. Bitterhet, köld, förstening var så narkotiskt lockande. Men inte ännu, ty trädet lever. Inte ännu.

Stigen grenade sig längre fram, och pojken gick ofta vilse, fast han annars hade lokalsinne som ett vilt djur. Kanske ville han gå vilse, ville ha sin skog mer djup och outgrundlig än den var. Han ville upptäcka nytt. Han ville dröja i förundran inför tjärnen i skogen.

Kanske hade det varit en tjärn, nu blev den årligen allt mindre, en göl, ett fuktigt, gulgrönt öga, som sömnigt slöt sig mellan fransar av odon, blåtåtel och urtida fräken. Den gula gölen i sommarvärme avgav en magisk och oroande doft av skvattram och pors, kanske en förkunnelse om vuxenlivets drifter. Pojken var skrämd men hade svårt att slita sig från gölens grumliga blick. Snart ska du hetsas av mera rusande dofter än mina, viskade gölen. Snart ska driften göra dig lika blind som jag, fast du lever i människornas värld av ansvar och skuld.

Hade det inte varit lättare att leva som djur, dessa skuldlösa varelser, som aldrig ätit av Kunskapens träd? Han såg på djuren med avund och sorg. Räven som blixtrade röd förbi. Haren med långa öron och värnlös rumpa, den ingav ömhet. Ibland i motvind fick han se en puckelryggig älg stå och mumsa av ett träd. Det var som ett helgerån, han måste dra sig andlös och mycket varsam tillbaka.

Djuren blev sällsynta som åren gick. Kanske skrämdes de av järnvägen eller av biltrafiken intill. Hjulens slag över skenskarvar och bölet av otåliga bilhorn trängde in och störde drömmen om ändlös vildmark. Leken ”gå vilse” var omöjlig nu, allt som återstod var att vända tillbaka till skräcken i mörka hemmet.

Skogen bjöd på de stora lyckodagarna i juli och augusti, då han gick med modern och systrarna för att plocka bär. De var nu fjärran från tyrannen, men det var tillåtet och inte förbjudet, hushållet behövde ju sylt till pannkaka och gröt.

I ett rus av frihet och glädje pratade kvinnorna inbördes, skvallrade och berättade och sa små elakheter, fast bara ett flyktigt ord om fadern kunde få tystnaden att dra in som en molnskugga.

Pojken plockade i en kaffekopp och tömde i systrarnas kannor. Som yngst i skaran hade han att tiga och lyssna, synas men inte höras. Det hade han inget emot. I bärplockningens lyckliga stunder lärde han sig något om kvinnors liv och om konsten att berätta.

Det givande fågelbärsträdet följde honom till vuxen ålder. Så gav honom skogen en maning att leva.

21

Spridda i skogarna låg de gamla torpens husgrunder. Utvandring och stordrift hade lagt dem för fäfot.

Här och där stod en svankande lada, enstaka åkerlyckor besåddes ännu med havre, men de flesta lades igen och erövrades snart av lövsly och späd barrskog. Slutligen krävdes ett erfaret öga för att se var odlingen levat. En igenvuxen stig i skogen kunde stanna tvärt vid en källa, glimmande mellan brunnsfodrets ram av silvrigt trä. Där nere simmade en uråldrig, snövit källfrö, undrande över människornas eviga tystnad. Aldrig mera doppades ämbar i brunnen.

Fruktträden blommade osedda om våren, gav osedda sina suräpplen som frukt kring den gamla grunden. I källarens avskrädeshög kunde man göra fynd. En gammal träsko, en skärva blåmönstrat porslin, ett ärgigt kopparmynt med korsade dalpilar, ett söndrigt glas, blåsigt och grönt. Det mesta av värde hade sålts för att bekosta resan till Wisconsin eller Nebraska.

I förvildade krusbärsbuskar hängde röda och gyllene kläppar i högsommarens tid, bär som var sprickiga och dröp av sötma.

På ålderdomshemmet dog den sista gumma, som ännu mindes

det gömda torpet. Skyarna jagade, året vitnade och grönskade på nytt, det lilla torpet låg bortglömt av alla.

Pojken fann det av en slump under en skogsvandring om våren. Stengrunden stod bäddad i ett skum av fruktträdens oanade blom. Det var som att se Gud.

En annan gud än den han kände från Mölna.

22

Mölna var hemsökt av spöken, men de skrämde honom aldrig som fadern. När den fruktansvärde var bortrest kunde han nästan känna lugn. När den eviga skräcken lossade sitt grepp kom en mattighet som liknade frid. Karolinen klampade på vinden, men han kunde inte skada. Han var som ett egensinnigt husdjur, elak ibland men i grunden ofarlig.

Pojken kunde försjunka i vilsamma drömmar.

Så var det också med kyrkorna, i Vagnhärad och Trosa Landsförsamling. Högmässan kändes ängslande, när orgeln dånade och Axman själv försäkrade, att Herren var i sitt heliga tempel, Herren som var allsmäktig, evig och grym som pojkens far.

Men till vardags var Gud bortrest, kanske inte till sparbank och mejeri som fadern, men borta var han. Kyrkan var vilsamt tom, det gick för sig att drömma där inne, Gud fader skulle inte kliva på för att skrika och slåss. Där fanns inte ens en bild av honom, bara ett obegripligt, trekantigt öga. Bilden av Jesus på triumfkrucifixet såg pojken med olust. Lidande kunde han nog känna igen och förstå, men detta tal om att lidande skulle ha en mening? Nej, inget kunde rubba pojken i övertygelsen, att allt lidande var meningslöst. Gud är starkare än vi, det är allt vi vet.

På väggarna hängde vapen efter släkten Siegroth, som suttit på Lövsta. De hade åtminstone kommit ut i världen på äventyr, kallade av Karl XII, det gav något att drömma om. Till slut hade dock döden varit starkare än de. Den siste av dem föll vid Poltava.

På den uråldriga dopfunten fanns en avbildning av barnamordet i Bethlehem.

Bara en späd gosse undgick det stora barnamordet, en enda. Han fick vänta ännu trettio år innan döden visade sig starkare. Det var dock ett välsignat uppskov, och slakten på barn i Bethlehem ett meningsfullt offer.

På norrsidan av Vagnhärads kyrka spökade byhoran Johanna, missnöjd med en neslig begravning på 1860-talet. Hon grimaserade bak fönstrets blyspröjsar och knackade på rutan ibland. Även en självspilling från Trössla rote gick igen och suckade sorgset. Pojken blev inte rädd, bara de levande skrämde honom, den levande Gud och den levande fadern. När inte de var hemma kunde han känna frid i Guds hus och på Mölna.

Och när inte otillåtna syner och tankar kom till honom.

I Trosa Landsförsamlings kyrka fanns en liten trästaty, som alltid grep honom djupt. Det var Sankta Anna, själv tredje, ja, den heliga kvinnan bar samma namn som pojkens mor. Hon satt med sin dotter Maria och sin dotterson Jesus i famnen. Det var en bild av den kvinnliga kärlek som finns i världen, trots att den grymme guden är så mycket starkare än vi. Kanske var bilden snidad av körsbärsträ.

Jesus var skadad till oigenkännlighet, ansiktet var bara en skrovlig spjälkyta. Pojken fann detta riktigt, Jesus och hans gärning kunde han aldrig förstå. I denna värld finns ingen nåd och ingen försoning.

Det var en av de otillåtna tankar han aldrig kunde uttala. Det var så mycket i världen man inte fick se eller tala om.

Den heliga familjen på flykt till Egypten, utspisade av bugande dadelpalmer, sovande fridfullt om natten i lampans matta sken, Josef på vakt, Maria med handen mot pannan, det sovande barnet... En vacker bild.

En annan bild fick man inte se: barnen i Bethlehem, som dräptes av knektar i ringbrynja, blinda kittelhjälmar, bredbladiga svärd genom mjuka, lindade kroppar, mödrars ansikten förstenade av sorg...

En sorg som om de inte förstod att de bragte ett meningsfullt offer. Men fanns det ett meningsfullt lidande, en försoning?

Frågor man inte fick ställa, om man ville undgå de vuxnas vrede och hat. Synder man inte borde se, om man ville bevara sitt sinneslugn i den tomma kyrkan.

23

Ån gick fram mellan kyrkan och kungsgården Husbys borghöjd. På åns norrsida hade järnvägen dragits jämte stora landsvägen från Stockholm till Nyköping. Kring stationen hade ett litet samhälle vuxit upp. Vägen hade blivit mycket förbättrad under de år då arbetslösa livnärts med vägbygge.

Väster om samhället mullrade i ådalen en trestenars vattenkvarn vid ett dämme med ålkista. Stilla sommardagar låg dammen blank mellan bugande kaveldun under juvelblå, svirrande sländor, fiskrik och farlig, vaktad av argsint mjölnare, sålunda oemotståndlig för pojkar. Här gick vägen över ån upp mot Husby skola.

Vägen från Mölna till samhället korsade ån och en överbyggd ravin, innan man såg Husby loge hög och mönjeröd vid infarten. Sen följde på vänster hand Hov-Konditoriet, Konsum, banken, Wahlströms, Turisthotellet och Mejeriet, skramlande var söckendag som kyrkan binglade och ringde om söndagen. Vid järnvägsstationen, tegelröd i vildvin, fanns pressbyråkiosk och grön godisautomat av gjutjärn. Den var byggd för småslantar och tömdes av inflation under kriget. En klaff hängde ut som en gubbes haka.

Vart hus och vart skrymsle hade sin saga.

Hov-Konditoriet fick av och till leverera tårtbottnar till Tullgarn och kunde därför stoltsera som Hovleverantör, en titel som ej var till salu den tiden. Serveringen var obetydlig, men bilister stannade ibland för att köpa. Med krig och gengas och varubrist skulle rörelsen tyna.

Här låg också Konsum, som var nytt och ideellt och grönt och vitt och glänsande hygieniskt. Arbetarna vid kalkbruk och tennfabrik bar upp den unga folkrörelsen, i den mån de inte satt fast i avbetalningars ekorrhjul. Att handla "på bok" i privatbutiker var länge regel och tvång, lönsamt för ingen.

Därnäst följde den ståtliga ekmanska villan, ett främmande inslag av högborgerlighet i den lantliga idyllen. Hölls inte baler här med gardeslöjtnanter i ståndkrage, sköna damer som dånade på kanapéer, skandaler? Sannolikt inte, aldrig hördes ett skri eller en kork som small. Tysta och sovande låg i bottenvåningen bankkontor och butik för bättre bemedlade.

Borgerlighetens vita palats var vilset som en änkenåd på ett bondkalas.

Turisthotellet var en Lastens boning, ty där serverades pilsnerdricka, klass II, trots nykteristers arga skrik i kommunalfullmäktige, där de som örnar spejade efter all böjelse för svalg: eftergivenhet för grova brott och klappjakt på enkla mänskliga svagheter hör till egenheterna i svenskt samhällsliv. Missbruket var dock ringa, berusade karlar från bygden en ovanlig syn.

Det sociala trycket var starkt, brottslighet något oerhört, som bara "stockholmare" sysslade med. Lövsta uppfostringsanstalt ingav pojkarna skräck och var omgiven av myter om svält och stryk. Efter ett riktigt brott kom man "på fästning" och var för livet utesluten ur all mänsklig gemenskap. Det fanns inga gradskillnader i helvetet, det enklaste snatteri ledde obevekligt mot fördärvet: "Den som börjar med en stoppenål, slutar med en silverskål." Gamla och ensamma levde i trygghet, en besökare var alltid en välkommen gäst. När gumman Augusta gick till Handlarn för att köpa ett hekto kaffe, låste hon visserligen dörren men hängde nyckeln på spiken utanför, så besökare kunde gå in och vänta på henne.

Arbetsovilliga och dricksamma män sågs med hårda blickar, arv och miljö och social belastning var okända ursäkter, hederligt arbete allt som räknades. Att ges fattigvård, att på något sätt "ligga till last" var en outhärdlig skam, likaså att åldras utan hjälp från kärleksfulla barn.

För en tungt belastad som Svenskamerikanarns pojke var denna moral en hjälp att ganska länge stå upprätt. Alldeles klar i logiken var den väl inte: allt arbete var aktningsvärt, bevars, men den förgyllda lättjan var ett strå vassare ändå.

Den som ej arbetar skall ej heller äta, om han ej är en herrskaplig frossare med pengar på banken.

Arbete, ärlighet och försakelse var i första hand fattigmans heder. För herrskapet gällde andra lagar.

Folkhemmet riknade till så smått, men Fattig-Sveriges regler om heder och skam levde länge kvar.

24

Jag minns de sista oxarna i Vagnhärad.

Oxar som bugande släpade en drög, en bild av urtid. De rörde sig i en långsamhet som hörde stenåldern till. Några av de döende smågårdarna höll ännu oxar som dragdjur för årder och plog. Sakta som himlakroppar rörde sig dessa urtida anspann över jordens valv.

Vi levde i djurens lugna rytm, alla avstånd var förunderligt långa. Orter som nu blixtrar förbi bilrutan var mål för dagsutflykter, som krävde matäskor och fyllda tornistrar, Hölö, Lästringe, Västerljung. Att resa till Trosa var en långresa och ett äventyr.

Var ort har något att yvas över, en pyramid, en jordbävning, en galen religionsstiftare. Trosa kunde skryta med att vara världens minsta stad. Dess heraldiska strömmingseka lyste som en måne över rådstugan, där borgmästaren skipade lag med järnhand. Bovarna inmanades därpå av polismannen Andersson i fängsligt förvar. Finkan var så skröplig, att man lätt kunde gå ut genom väggen, men det sågs av trosaborna med ovilja: man borde ej störa Anderssons nattsömn och yrkesheder. Att ungpojkar ibland smet ut om natten för att träffa sina flickor var en sak för sig, som väluppfostrade ungdomar såg de till att vara på plats innan Andersson vaknade.

Uppför åminnet dunkdunkade motorbåtar med nyfångat strömmingssilver i trägula lådor. Fisken såldes i bygden eller rökades till böckling, en läckerhet. Sillbordet kom som preludium till Stadshotellets kulinariska högmässa, med biffstek och lök som svensk trosbekännelse, och två vita och en brun som amen i kyrka.

Långsamt tog sig hästskjutsen dit den långa vägen förbi Thureholm och Åda, men Gud skapade ingen brådska. Det fick ta vad tid som tarvades. En kommer snart nog i graven.

Kyrkans svarta klockstapel trädde fram, och man omslöts sakta av denna kåkbebyggelse i vitt och kräm och korall och turkos, trähus överlevande från ett småborgerligt 1800-tal. Hästens nickande huvud speglades förvridet i en pigtittare. Genom fönstren kunde man skymta vita kakelugnar, trasmattor, porslinshundar, litografier av Kungliga familjen. Ett nyfiket gumansikte spejade ut bak balsamin och Kristi blodsdroppe.

Var det fromhet och frid som rådde därinne, var det resignation eller bitterhet? Sådant ägnade pojken inte en tanke, för honom var staden en brusande metropol.

Trosa hade mycket att bjuda som inte fanns i stationssamhället: Systembolag och Stadshotell, som ännu hade klass III, där arbetsklätt folk med glimmande fiskfjäll på blåstället kunde få sig en klar till stångkorven. För bönderna var järnhandeln viktig, en plats för lång begrundan och betänksam kommers, och det fanns utsäden som bäst köptes i Trosa kvarn. I Sparbanken väntade kamrer Müntzing på ränta och amortering, han log sitt syrliga leende när man slank in klockan fem i tre förfallodagen och räknade upp beloppet i enkronor och femmor.

Modern och någon av systrarna kunde ta bussen dit för att köpa tyg och garn i Hedins Damkonfektion. Det var vällustigt tidskrävande förrättningar, som gav pojken tid att larva runt för sig själv för att se på fruktträd, stockrosor och rudbeckia vid Axbergs hörna eller sälla sig till ungskocken, som glodde på en svarthårig målare, som arbetade vid sitt staffli. Det blev ganska likt.

Bak Larssons röda plank stod det skyhöga päronträdet av märket ”Bonglouise”, som mor Larsson var höst la på höganäskrus med kanel, en läcker efterrätt. Mycket såldes av denna kalasmat, även till greve Bonde på Thureholm, som trakterade med kanelpäron till kungajakten. Onda tungor visste berätta, att Larsson var höst sände mutpäron till borgmästarn och till Hedin, som var pamp i Systembolaget. Det är nog bara förtal, säkert är dock att Larsson med åren yppade en benägenhet att falla ner ur sitt päronträd. Hans gumma stod nedanför och tog emot honom i sitt blommiga förkläde.

Någon sällsynt gång gick fadern på Stadshotellet för att bjuda en kund på en sup och en bit efter kreatursh andel, någon gång blev han själv bjuden. Som andra bönder satt han helst ute, sällan i paviljong eller inomhus. Det var smör, bröd, ost och sill, biffstek med lök och brynt potatis. Det var en av de sällsynta gånger fadern nyttjade sprit, en matsup bara. Han var på gott humör, bjöd och persvaderade: affären hade sålunda varit lyckad.

– Ta dig en smörgås, Persson, du behöver lite fett på revbena!

Persson suckade tungt, redan tvehågsen om affären. Måntro det inte var dolda fel på Svenskamerikanarns kviga? Fan vet.

När det äntligen var tid att ta tornistern av hästen för att anträda resan hem, hade solen redan börjat sjunka i duvgrått, rött och syren. Nyköpta plogbillar och sågblad skramlade på flaket.

Att resa till Trosa var en dagsutflykt och ett stort äventyr.

Familjen

1

Jag är på mödernet värmlänning, på fädernet europé.

Min farfarsfarfar föddes 1790 i Frankrike, deltog i slaget vid Leipzig, kanske i strid med mina anfäder på mödernet, stannade sedan i Tyskland och noteras som "Hausbesitzer" i Fuchshain. Han dog 1861. I ett tyskt gifte med Johanna fick han sonen Friedrich Hermann, född på julafton 1842. Sonen blev arbetare och dog blott trettiotre år gammal. I äktenskapet med Maria Therese Löwen von Dölitz föddes min farfar 1873, i familjepapperen står den tidigt faderlöses notis, "knapp drei Jahr". Han fick styvfar och måste snart stå på egna ben. I boktryckarstaden Leipzig gick han den långa vägen, från lärling till dugande yrkesman: färgtryck var hans specialitet, och han slutade sin aktningsvärda bana som faktor på gamla Centraltryckeriet vid Vasagatan.

Farfar, pappa och farbror Stig hade sina sidor, som snart bör framgå, men de ägde i sina bästa stunder en utåtvänd, "sydländsk" livsglädje och känslostyrka, en munterhet och en förmåga att glädja sig åt livets håvor, att spinnande som solvarma kattdjur vila i nuet, som kunde få svenskar att te sig surmulna, gnälliga och puritanska när de inte var dystert måttlösa. För min del mildrades intrycket av den värmländska grenen av släkten, som hade provinsens traditionella munterhet, berättarglädje och kärlek till litteraturen: Fröding och Selma Lagerlöf var för mig diktens två modersbröst.

I mina första minnen kunde mamma ännu visa upp den värmländska förmågan att skämta och ta livet på ”sköj”, men livet förmörkade henne med tiden. I ungdomen fick vi syskon allt mer ta hand om henne som ett stort barn. Jag var fäst vid henne, sörjde henne bittert när hon gick bort, men memoarernas vanliga, solljusa bild av den älskade modern har jag svårt att måla upp. Ömkan, tålamod, tröst kunde jag ge henne i bästa fall, själv blev hon som alla plågade och lidande människor en smula egocentrisk. Kanske kom hon att påverka min bild av det andra könet.

*

Jag blev för tung och fet i medelåldern, och en läkare rådde mig att banta. I ett ryck av dyster viljekraft tog jag ner mig trettiofem kilo. I badrumsspegeln såg jag ett skelett i blåvitt skinn, som Döden på en medeltida kyrkmålning. Det slog mig att jag inte längre liknade min mor.

Men jag tog miste. Jag luktade ännu som min mor, jag hade ärvt hennes talgkörtlar. Jag såg på min spegelbild och tänkte – egentligen borde jag vara hudlös som en anatomisk plansch, för hennes överkänslighet ingick också i det betungande arvet.

Jag minns henne som tung och kvinnligt fyllig från medelålder och ålderdom: hon hade inte aristokratiska damers ”fina ben”. I ungdomen bör hon ha varit finhyllt och blek under det bruna håret, hennes uppsyn på gamla fotografier är storögd, allvarlig, undrande, ibland med barnsligt trutande mun. Hon hade den egenheten, att hon plutade ut med underläppen när hon såg sig i spegeln, en lite hjälplös eftergift åt en kvinnlig behagsjuka, som inte var henne naturlig. Med åren försökte hon undvika att se sig i spegeln. De sista bilderna får mig att rysa av medkänsla och skräck.

Hennes överkänslighet var abnorm, hon mindes och led i åratal av ganska harmlösa repliker, de satt som törntaggar i hennes själ, i sår som varade sig och blödde. Umgänget med henne försvårades av detta, man måste alltid vakta sig, vandra som på nattgammal is.

I detta har jag ärvt hennes anlag, i skräcken för att klösas och såras kan jag långa tider inte förmå mig att öppna tidningen, brev som kan innebära ”obehag” enligt mitt språkbruk, kan bli liggande oöppnade. Jag känner redan på kuvertet lukten av grymhet och slänger det olästa brevet i papperskorgen. Efter några dagar kan nyfikenheten segra, jag gräver i avskrädet, öppnar brevet med darrande händer, läser med skakande huvud... Ja, som regel är brevet harmlöst, jag har ängslats i onödan. Och jag förbannar denna svaghet, som till allt annat är medmänskligt ofruktbar. Den sanna barmhärtigheten har skinn som en krokodil.

Som min mor övar jag in känslighetens rutiner, gömmer mig, undviker människors ögon och tal. Med förnuftet vet jag ju att de mestadels är ointresserade av mig, men känsligheten styrs inte av förnuftet.

I annat är vi olika. Jag försöker vanligen tiga om mitt elände och pockar ej ständigt på ömkan och medkänsla, en usel ersättning för den kärlek hon aldrig fick uppleva. När yttervärldens tryck blir för svårt kan jag resa bort en tid. När mina böcker ges ut brukar jag fly till en nordisk domkyrkostad, stannar jag hemma går jag lätt i bitar. Men ångesten följer mig ända in i katedralernas svala skugga. På gatan i Ribe överfölls jag av häftig gråt för att jag inte såg några storkar, de stora, bräckliga fåglarna borde ju häcka här...

Min mor hade ingenstans att fly.

En annan skillnad – min mor var puritansk och stundom hätsk mot könens förening, i sin känsla av besvikelse och livets svek. Att se förälskade ungdomar pussas på gatan inger mig ömhet och glädje, så var det nog ej för henne. Det råa ordet "hora" i en av mina första böcker fick henne att kvida. Ändå kunde hon överraska mig med bondska och drastiska uttryck, som förrådde hennes ursprung. När en modevåg ville ha kvinnor spetiga och magra blev hon arg och kände sig kränkt på sin kropps vägnar.

– En karl vill väl ha nåt i händerna, när han tar i ett fruntimmer!

Det avlövade körsbärsträdet slog sina rötter i saftig mylla. Sonen höll med sin mor i princip, även om hans tonårslabbar aldrig nuddat vid kvinnohull.

Två män hade hon älskat, ingen av dem var min far. Kanske hade hon som alla kvinnor känt en dragning till hans manliga skönhet och kraft, men strax efter giftermålet hade han haft det första raseriutbrott, som skrämde bort all känsla från hjärta och hud.

Morfar var hennes första och största kärlek, hon var pappas flicka. Hennes minnen av faderns nedgång och fall, minnena av hur han gisslades och bespottades i bygden för att slutligen gå sin korsvandring till förmörkelse, dårhus och död måste ha varit förkrossande. Arv och miljö? Vad är viktigt? Säkert är att morbror Carl och moster Mia inte orkade med det svåra livet, att moster Ester och morbror Sam hade en livskraft som övervann allt. Min mor reste sig med den yttersta möda ur olyckan och tycktes på väg in i ett meningsfullt liv, när ett grymt äktenskap slog henne till jorden på nytt.

Att hon krossades till slut är inte så egendomligt, det sällsamma var att hon orkade så länge. I den sorg som börjat klinga av, i de skuldkänslor jag ännu förnimmer, inmänger sig en känsla av respekt. Länge stod hon upprätt innan hon slutligen föll, denna tungt belastade karyatid med förstenade ögon.

Hur mycket såg hon av sin far i förnedringens stunder? Vad såg hon av sin bror, när han låg fjättrad i grimma i fattighusets fårkätte? Vad såg hon, vad mindes hon?

Hon såg för mycket, hon mindes för mycket. Jag trodde ibland, att hon av konventionella skäl ville förtiga sin fars sjukdom. Dock minns jag nu, att hon ibland försökte berätta om den älskade fadern, men aldrig orkade tala till slut. Rösten brast och det tunga ansiktet förvreds av gråt. Det blev henne för svårt.

Ändå ägde hon krafter nog att gå runt i släkten och tigga och låna ihop pengar för studier på folkhögskola och seminarium. Den tiden måste ha varit den bästa, en tid av gemenskap och hopp. Det var idealism och kamp för rösträtt, inte minst kvinnornas, det var nationalskaldernas tid med recitation av Fröding på soaréerna. Viktor Rydbergs blandning av idealism, vek fromhet och känsla för orättvisor i världen måste ha stått henne nära – hennes exemplar av hans Dikter var sönderläst. Men Ahasverus mörka syn på världen skulle med tiden överrösta hennes tro på Prometheus framtidsoptimism, den blev som fläderpipans drill mot braket av den åskande orkanen, ty rätt har den allena som har makt...

Kamratskapet och studietidens gemenskap måste ha betytt mycket. Hon bevarade sorgfälligt fotografier av alla vänner, och bilder av festernas oskyldiga maskerader, upptåg och levande tablåer: Christina Gyllenstierna, Florence Nightingale, Fredrika Bremer. Selma Lagerlöfs nyutkomna böcker var sagoskrin att andäktigt öppna. De gav en förkunnelse om den kvinnliga kärlekens allmakt, hon trodde blint. Hon trodde att den älskande kvinnan kunde förvandla odjuret med sin kyss.

Efter skilsmässan gjorde hon ett hjärtslitande försök att återuppliva gemenskapen. Hon reste runt och sökte upp sina gamla kamrater. Pojken skulle minnas denna vallfart som en förödmjukelse: de var gäster som började lukta redan första dagen. Vännerna hade fastnat i egna rutiner och egna besvikelser, ungdomens vänskap var glömd. Kalla blickar räknade pojkens brödbitar, han vågade inte äta. Återseendets ansträngda glädje blev pinsam tystnad till slut. Modern grät bak den gröna gardinen på tåget. Pojken försjönk i sin vanliga dröm att förvandlas till sten.

Hon hade tagit sin examen och kom ut på en skola, det var ambitiöst och arbetsamt men också ärorikt att tjäna egna pengar och betala igen lånen, det var att hedra faderns kränkta minne. Kanske lite ensamt ändå? Kamratkretsen var skingrad, familjen långt borta. När den ståtlige lantbrukseleven kom och friade kände hon av sitt kvinnoblod: det var en grann karl. Annat kanske kom till: skräcken att komma på glasberget, avunden mot den glada och fruktsamma syster Ester, kravet att vinna kvinnokönets ärorika utmärkelser, frutiteln, ringarna på fingret, barnet vid bröstet, hedern att upptas i erfarna kvinnors förtrolighet.

Han sitter och hon står på bröllopsfotot, kanske ett tidsmode, en nyck av fotografen, men bilden gav en uppenbarelse av Härskaren på sin tron med tjänarinnan vid sin sida. Hon verkar undrande och spänd, han är stolt och triumferande.

Hon berättade på ålderdomen, att hon redan någon dag efter bröllopet fick smaka på skräcken, den skräck som skulle följa henne genom livet. Svärföräldrarna var med i en hästskjuts, den vilda klanen Delblanc kom i högljutt gräl, mannen föll i raseri och började piska hästen, ursinnigt. Sår som började läkas brast på nytt och blödde. Han är galen, tänkte hon. Sinnessjuk. Ord som onda människor använt om pappa, men vilken skillnad... Hos pappa fanns ömhet ännu i sjukdomens natt. Här var allting ondska och blodröd vrede.

Skräcken måste ha gjort henne kall i hans famn. I sin stora galenskap tvekade han inte att beskriva sina erotiska erfarenheter för sonen, när denne var i sin hudlösa pubertet. Han klagade över moderns kyla och sonen brann av skam. Inte så att fadern var efterbliven och mindre vetande i sin omdömeslöshet, så långt ifrån. Om det åtminstone varit så enkelt.

Han var på en gång vilddjur och demon.

Varför skilde hon sig inte genast? Det brukades inte. Äktenskapet var ett heligt sakrament, hon stod till svars för sin fromma mor och för faderns vördade skugga. Hon kom att dröja för länge – snart var första barnet på väg.

De levde i Hölö den tiden, som arrendatorer. Ofta träffade de Knut och Tora, som bodde på sommarnöje i bygden. Stockholmarna var angenämt överraskade att finna en beläst kvinna som granne, och en man som hade charm och var klyftig nog för goda samtal: tillsammans med gäster kunde han lägga band på sin vrede.

Knuts fina bildning och milda väsen uppenbarade en annan sorts manlighet, kanske påminde han om fadern. Det blev ett kort förhållande innan han återvände till hustrun. Mannen hade samtidigt en egen affär med en kvinna: det lugnade samvetet i någon mån.

I längden kunde ej samvetet lugnas.

Knut var en flyktig fågel, äktenskapet lappades ihop på nytt. För resten av livet skulle hon bära på syndens och skuldens börda. Herren min Gud är en stor hämnare.

Emot dig och dina heliga bud har jag syndat med tankar, ord och gärningar...

Ännu ett barn blev försoningens frukt. Svärföräldrarna påstod att det var en horunge. Hon blev kränkt in i själen.

Med två barn var hon fången. Därtill trodde hon, att förbrytelsen skulle beröva henne barnen om hon sökte skilsmässa. Hon kunde bara lyda nu och följa sin man till Kanada.

På gamla dar övervann hon alla betänkligheter och berättade för sin son. I skamkänslan fanns en kärna av blyg stolthet – Kärlek hade det varit! Hon hade älskat Knut.

Sonen greps av vild, oresonlig vrede, pinad av motstridiga känslor. Kärlek och älska – så höga ord, så stolta byggnader över något som i grunden är biologi! Och samtidigt – hur skulle vi överleva utan denna kvinnliga kärleks blomning i kalla skogen?

Och han skakades av hat mot den man som svikit modern. Han kände vid det laget denna värld, där kåta libertiner smyckar sig med "kulturradikala" plymer. Han var själv en av dem, han hatade sig själv i denne man.

En värld där människor förnötte sin beredskap för kärlek genom slö promiskuitet. När kärleken någon gång klappade på porten kände de inte igen den gudomlige. Han fick gå vidare som en föraktad tiggare. Aldrig mer skulle han höra av sig.

Om detta sa han inget till sin mor, hon fick ha sin illusion om kärlek i fred. Knut glömde henne snart. Själv skulle hon inget glömma, ej heller Tora.

I Kanada kom de svåra syndastraffen, arbetet, barnet som dog, reumatism och sömnlöshet. Kanske skulle det så vara. Herren min Gud är en stor hämnare.

Kanske var det därför hon också uthärdade mannens galenskap och våld. Han är ett redskap för den straffande guden. Stort nog att hon fått föda en frisk son.

Eller var han frisk? Skräcken för det sjuka arvet var en av de tankar som höll henne vaken om natten.

Men om mannen var ett redskap för gudomlig hämnd, varför

blev då barnen lidande? Det var en fråga som undergrävde hennes tro.

Hon skämde bort sonen för att hålla honom skadeslös. När han tjatade efter godis eller gunst föll hon alltid undan till slut. Hennes utpinade känslighet tålde inte konflikter och gräl.

Men detta var den sorts ”snällhet” barn föraktar.

Hemkommen från Kanada var hon åldrad i förtid. Hon var jämnårig med mannen men verkade äldre.

Hon gick ständigt med böjt huvud, som en botgörerska, hon mötte ogärna andras blickar. I deras ögon läste hon sin fördömelse – att leva i ett sådant äktenskap var en skam. Men hon kunde inte försvara sig.

Hennes förhållande till storasyster, den levnadsglada, var egendomligt kluvet. Hon höll av Ester men var samtidigt avundsjuk på henne för den lycka hon ändå vann ut av livet. Ester fick slutligen en snäll och ömsint karl, hon kom alltid ner på fötterna, den välsignade människan! Den som bara kunde vara som hon, leva som hon!

Pojken erfor något liknande. På besök i mosters hem blev han förälskad i familjen, inte minst i morbror Rickard, en alldeles vanlig far, för pojken något häpnadsväckande och nytt. Han blev avundsjuk på kusin Erik, som fick leva i sådan lycka. Han tyckte alltid kusinen gnällde i onödan över sina futtiga problem – vad hade han att klaga över?

Mor och son var ense i detta – de vet inte hur lyckliga de är i denna helt vanliga familj. Och de är i grunden oförmögna att förstå hur vi har det.

När modern äntligen fick skilsmässa var det för sent, hon var skadad för livet. Hon kände aldrig att hon fick det stöd hon hade rätt att begära, åtminstone inte från modern. Den gamla kvinnan levde instängd i sin fromhet, mycket hade hon genomlidit, och hon menade väl att också dottern borde ha uthärdat och fördragit. Med rätt eller orätt kände sig dottern syndig, förkastad, fördömd.

Och hon gjorde sin ömhetstörstande rundresa bland ungdomsvänner och kom tomhänt tillbaka.

Nu vidtog de trista åren av samliv med en tonårig son, som ingen hjälp kunde ge, som själv hungrade efter en trygghet och kärlek hon inte ägde att skänka. Hon fick inte ett öre i underhåll för sonen, som dessutom verkade livsoduglig, ovillig till kroppsarbete, slö i skolan, med ständiga underbetyg, inte minst i uppförande och ordning. Utan hämningar gick hon i hans gömmor och läste hans dagböcker och dikter, som hon kunde recitera med sträv ironi. Hon hade vant sig att rota i makens papper under äktenskapsbrottet, tablettmissbruk bröt ner hennes hämningar. Sonen kände skam och skuld över sin oduglighet, sina usla pekoral.

Och mörkret föll. Hon var rådbråkad av livet, alltid sömnlös, jagad av minnenas demoner. Minnen av fadern, brodern, av lillasyster. Minnet av dottern, som dog för henne i det främmande landet. Minnet av fattigdomen där ute, då en rik och barnlös kvinna i Swan River ville köpa äldsta dottern för pengar. Den gången blev hon rasande och sa nej.

Vad kärlek hon upplevat var horbockens loja nyck: kanske anade hon innerst inne hur värdelös den var. Sonen hade ej mycket att ge henne utom blanksliten ömkan, de levde samman som två bettlare, bägge i nöd och behov. Förgäves räckte de tiggarskålarna mot varandra.

Den älskade fadern hade tidigt förmörkats och dött, de två andra männen i hennes liv hade varit en libertin och en galen demon, hennes son var en lytt och hjälplös varelse.

För henne fanns ingen barmhärtighet, hon gick frivilligt döden till mötes. Innerst inne kanske hon trodde, att detta var den allsvåldige gudens vilja.

Gud är starkare än jag – säkert var detta den förgiftade hjärnans sista medvetna tanke.

2

Hans drag finns bevarade på ett ungdomsfoto, som jag betraktar med undran och ängslan. Han är så lik min mor – samma överkänsligt undrande öppenhet och vekhet, som om han frågade sig, om denna världens grymhet kunde vara verklig och rimlig. Att den var verklig skulle han erfara i fullt mått.

Han liknar mig eller jag liknar honom, hur man nu vill se det. Med den skillnaden, att mitt yttre, särskilt i ungdomen, har ett drag av ilska och misstro, en mask jag anlagt till försvar. Något av faderssidans hårda stål hade gått i smältdegeln och gjort mig stark nog att överleva längre än han.

Min morfar hette Axel Andersson och var son av Anders Andersson och Anna Lisa Jonsdotter från Brattfors i Värmland. När Axel kommit i prästskola anlade han namnet Nordfält, som ännu lever kvar med finare stavning. Han föddes 1864, och vi vet att hans far var religiöst aktiv, om också ej i så heroiska roller som han tillskrives i romanen Samuels bok. Att han på något sätt var gripen av sextiotalets folkliga väckelse verkar dock en rimlig gissning. Morfars mor var gift både i USA och Värmland, och släktträdet är lummigt och vida förgrenat. I den avskilda provinsen var också alla ingifta och släkt med varandra, till främjande av galenskap och varm gemenskap.

Han framstod tidigt som en lovande och välartad elev, och hans betyg vid Augustana College, Rock Island, Illinois, var också lysande. Kristendom, svenska språket och litteraturen var jämte latin hans bästa ämnen. Han gick ut som primus och hedrades med uppdraget att hålla avskedstalet, ett ”Valedictory”, som också utgavs av trycket. Förutom gängse lovord och tacksägelser till lärarna innehåller talet stränga varningar för den katolska kyrkans växande makt. Möjligt är väl, att den babyloniska skökan frodades under Leo XIII, men varningen var kanske mest en retorisk formel, en rättrogen åtbörd.

Axel litade naivt på sin fromhet och sitt nit, på vackra skolmeriter och tjänstgöringsbetyg. Han begrep inte att det är annat som gäller i Sverige, då som nu: släkt, vänner, partibok, ”smidighet” – sånt ersätter talang när man vill klättra mot ärones tinnar. Vad gagn hade han av ett tjänstgöringsbetyg, som prisade honom som duglig och bekännelsetrogen? I betyget framhålls också hans hedrande sätt att fylla sina plikter till församlingens och kyrkoherdens fulla belåtenhet, hans trohet och nit, hans goda och uppbyggliga predikogåvor och hans stilla och gudfruktiga vandel. Betyget är signerat i Rone på Gotland augusti 1896 och bevarades i familjen med stolthet och pietet. Hans trohet och nit belönades med en årslön om 300 riksdaler, vilket bör ha legat långt under de flesta kroppsarbetares inkomst. En läroverkslektor torde vid samma tid ha tjänat 4 000 kronor, en professor 6 000.

Hans gynnare var biskopen på Gotland, von Schéele, som i tradition och i tidens skämtpress framställs som bördsstolt och en smula inskränkt, men som obestridligen intresserade sig för de svenskamerikanska prästerna. Axel hade två år tidigare också fått

”venia concionandi” av biskopsämbetet i Karlstad, närmast för Brattfors pastorat, men de sköna avgångsbetygen, prästvigningen 1890, varma rekommendationer från Augustana, vikariat på Gotland och i Värmland, smickrande tjänstgöringsbetyg, allt detta ville slutligen inte förslå. Det ville till en svensk examen, och den hade han alltså inte råd med. Hans studier medgav dock en mycket förkortad och summarisk utbildning till folkskollärare. I betyget kan en skarpögd forskare för första gången upptäcka en svaghet, som även den lokala traditionen bekräftar: han har haft svårt med disciplinen i skolan. Men det var alltså en skola där småbarn samsades med brännvinsosande ynglingar, som hölls kvar på skolbänken i åratal för att lära Luthers långkatekes för konfirmationen. Det var något helt annat än den fromma vältaligheten under Gotlands sköna kyrkovalv.

Det var väl nu han började gå sönder. Redan i den dagbok från 1895 som jag använde litterärt finns olycksbådande tecken, ibland ett rysande stråk av smärta, när den hudlöse kände sig sårad och kränkt av ämbetsbröder. Han skriver då på engelska, ett språk som för tidens svenskar var okänt.

Vem är det jag möter i hans dagbok? Han är ensam och längtar till de sina, ingenting egendomligt i det. Han läser och studerar och förbereder nitisk sin predikan. Han är mild och kristlig i sina omdömen, vilket säkert skulle förleda en akademisk läsare av i dag till felslutet, att han var lite enfaldig: till akademisk jargong hör att medelmåttiga intellektuella framställer andra medelmåttor som idioter, under utbrott av stupid kvickhet. Jag vet det, ty jag är själv en av dem.

Axel talar egentligen aldrig illa om någon, även om han ibland känner sig sårad och plågad av andras handlingar och ord. Var han kanske en sådan varelse, som ingav sina medmänniskor en biologiskt grundad drift att tortera och döda? En så sjuk fågel som han får ej fortplanta släktet!

Vilket han alltså gjorde ändå, på gott och ont.

Till tiden – nittiotalet, Skansen – hör ett starkt historiskt och antikvariskt intresse: han vandrar flitigt omkring i Gotlands kyrkor och fäller förnumstiga omdömen om deras konsthistoriska skatter. Inför Swedenborgs visionära fantasi ryggar han bävande tillbaka.

Påfallande är hur han tycks helt oförmögen att se och diskutera sin omvärld i de sociala och politiska termer, som är självklara för vår tid. Han ser en del av verkligheten med oerhörd skärpa, för annat är han blind.

I detta var han knappast något undantag. Hur snabbt förändras ej vår medvetenhet i grunden. Hur snabbt vår förmåga att se.

Han var ej mer eller mindre blind än sin herre, biskopen von Schéele. Själv skulle han falla offer för detta system som vördade Hans Högvördighet, men han var ej därför mera klarsynt.

Allt detta är självklart, och det tjänar just inget till att göra Axel till rebell och biskopen till cyniker: de var ingendera. Jag är inte ens säker på att begrepp som ”förträngning” är rimliga. Det finns och fanns civilisationer med avancerad kultur, som uppvisar ”blinda fläckar”, till synes ofattbara lakuner, en gåtfull oförmåga att begripa självklara sammanhang.

Det är solklart och inget att ljuga om eller förfasa sig över. Viktigare är det uppenbara – att även vår tid måste lida av blindhet. Att det finns något vi borde se för att överleva som släkte. Men vi ser det ej.

Oförstående och blind gick Axel mot misär, sjukdom och död. Kanske fanns ärftliga drag i hans sjukdom, fast jag inte kunnat belägga dem. Hans yttre olycksöden kunde ha knäckt den starkaste.

När jag läste om hans liv inställde sig frågan: hur handskas en kristen med en olycka som denna? Job på sin hög av aska infann sig som bild, en bild lika gripande som absurd. Visst ligger det något vettlöst i detta, att människan skapar sig en bild av en god och rättvis Gud och sedan i sitt elände anklagar denna drömbild för brist på rättvisa och godhet.

Jag lät Axel-Samuel lösa sina gudsproblem med gnostiska och manikeiska idéer.

Jag tar för givet att ”verklighetens” Axel led som ett sjukt djur, utan att fråga sig varför eller till vad ändamål. Gud är starkare än jag var hans enda, oklara tanke i helveteselden.

En sådan resignation kan han inte ha nått förrän under sin sista sjukdomstid. I början predikade han för de andra dårarna och manade dem att tro på en kärleksfull Gud. Det hände att han hörde Gud tala och änglakörer sjunga över hospitalets tak.

Många forskare, både professionella och amatörer, har intresserat sig för hans öde och bragt nya dokument i dagen. Kallsvetten står mig i pannan när jag läser dem. Bland mycket annat finns här ett brev han skrev från hospitalet till kung Oscar II. Han smickrar härskaren med den hjälplöses barnsliga list, ber ödmjukt om ett exemplar av kungens härliga dikter och lovar Hans Maj:t en fin gåva i gengäld, fast han inte riktigt vet vad... Ett vitskäggigt dårhushjon gör ett försök att muta sin mäktige monark.

Den direkta dödsorsaken var tuberkulos, men han tycks ha hungrat sig själv till döds. Han äter föga eller inget alls av sjukhusets mat, han våndas över alla som hungrar i världen. Inte minst oroas han över att hustru och barn ska svälta. Han är vid sin död 177 cm lång och väger 37,4 kilogram.

Människor, skeenden, även abstrakta begrepp framstår gärna i min fantasi som bilder. Axel den sista tiden står för min syn som en naken, utmärglad staty av Giacometti. Bortvänd vandrar han genom oktoberdiset i en gles och gulnad skog. Allt längre bort och slutligen försvunnen.

Ännu fjorton dagar före sin död talade han öppet och klart med sitt äldsta barn. Hur sjuk var han? Sjuk, frisk, dessa meningslösa ord... Kanske levde han i en annan ordning under de sista årens slutenhet och tystnad, då han längesedan upphört att predika. Kanske hörde han klarare röster tala.

På vägen hemåt i dimman vände han sista gången sitt huvud för en hälsning. Nickade, log och var borta.

3

Om mormors bakgrund vet jag just ingenting alls.

Och jag tror inte den vanliga förklaringen gäller: att unga människor inte ids lyssna på de gamla medan tid är. Vid den tid då intresset vaknar – oftast när man får egna barn – då är traditionsbärarna borta.

Nej, inte så. I mormors stillsamt besatta fromhet fanns en förströddhet eller likgiltighet inför den yttre verkligheten. Hon vände den ryggen i förvissningen att den bara kunde ge sorg och ännu mera sorg, sedan mannen och sonen gått bort och dottern förmörkats. Motvilligt lät hon sig förtrollas av sin livsglada dotter Ester, säkert älskade hon sonen Sam, men det viktiga i livet var att hängivet hålla blicken fäst på Förlossaren, den ende som kunde ge tröst och kraft att bära omänskliga bördor. Om sitt karga jordeliv gitte hon ej berätta.

Hon måste ha varit mycket vacker i unga dagar, med en sval och nästan uttryckslös skönhet, som för högrenässansens måleri i minnet. Är det inte hennes tvillingsystrar jag ser på Botticellis Allegori om våren?

Även på bilder efter de stora katastroferna ser hon märkligt sval och oberörd ut. Hon hade vänt sig från lidandets värld för att se in i en annan ordning.

Vad vet jag om min mormors historia?

Marie Charlotte Johansen, född 1868, kom av en hantverkarfamilj i Kristiania och emigrerade i unga år till Amerika. Det var där hon träffade och gifte sig med Axel. Förmodligen kunde det ses som ett gott parti med lysande framtidsutsikter, om hon nu tänkte på sådant.

Jag tror mig ha sett hennes far på ett fotografi, taget efter döden. Liket ligger med knäppta händer och huvudet vänt mot kameran. Ställningen verkar onaturlig, i brygga, eftersom posen gjorts efter begynnande likstelhet. Bilden kan verka morbid för en modern, sekulariserad människa. För mormor och hennes samtida var den vacker och uppbygglig. De knäppta händerna skulle visa, att gamlingen dött en god och kristlig död i tron på sin Frälsare.

Dödskampen ägde rum i hemmet, dödslägret och liket var inget som skrämde dessa fromma människor. Att skiljas från ett kargt och bekymmersamt liv för att gå in i Guds salighet var ej en skamlig förvandling att dölja på sjukhus och anstalt. Konsten att dö, ars moriendi, hölls ännu högt i ära: familjen kunde yvas en smula över en from och uppbygglig död i hemmet.

Jag följde min farfars dödskamp i hemmets dubbelsäng och tog avsked av honom där han låg i kistan. Det var ej skrämmande, inte ens att kyssa det kalla, stearinvita ansiktet. Kanske en lätt känsla av spänning och overklighet, som när jag såg mina visioner eller mötte högvilt i skogen. Vad jag såg var farfar men ändå inte han, en varelse som inträtt i en annan ordning.

Mormor fick kyssa många kalla ansikten till avsked, make, son, dotter. Föga sällsamt alltså, att hon slutligen vände verkligheten ryggen eller såg den med madonnans upphöjt likgiltiga blick: hon bar i sin famn Förlossaren.

Ett annat minne kommer för mig – i mormors familj var man tveksam inför unionsupplösningen. Vad skulle den tjäna till? Man hade redan en kung i ordnar och brokig uniform, som vitskäggig och vinkande for fram i släde på Karl Johan. Varför skulle han ersättas med en annan?

Med blygsel hörde jag henne tala om detta, så liten jag var. För mig var unionsupplösningen alldeles självfallet något rättfärdigt och progressivt. Var verkligen mormor och hennes familj så slaviskt underdåniga, eller var de politiska idioter?

Men nu på gamla dar har jag börjat undra. Vad finns det för nöjaktiga undersökningar om den norska folkopinionen 1905? Jag vet inte och orkar inte finna ut. För mormors enkla och fromma familj innebar nationernas skilsmässa varken ökad välfärd eller andlig uppbyggelse. Vad betydde Björnstjerne Bjørnson för dem?

Jag talar inte som svensk patriot, jag söker bara förstå en from och enkel familj i Kristiania vid slutet av 1800-talet.

Men som redan erkänts, jag vet så litet. Mormor var vänd från verkligheten, hennes blickar var fästa på Förlossaren. Hon var smal och spinkig, nästan utmärglad, till skillnad från sina moderligt runda döttrar. Hon levde på surmjölk och mögligt bröd.

Mormor bodde i en stuga i Skattkärr och drog sig fram jämte sin sjuka dotter på en liten pension efter morfar. Därtill underhöll hon ett oräknat antal luffare och tiggare, det var som evangeliets bespisningsunder. Det var enligt hennes kristna tro, men hur hon kunde få sitt armod att räcka till så många är mig en gåta. Ingen ofredade henne eller moster Mia av alla de lurviga vandringsmän som vek av från vägen, kanske ingav hon den aktning som hjälplöshetens godhet ibland kan väcka. Hennes stora fattigdom bjöd ej heller något begärligt, och ingen erotisk svultenhet kan ha dragits till moster Mias heliga galenskap.

Stugan var bofällig, bohaget blanknött av armod och år. Morbror Rickard lappade och lagade efter förmåga, moster Ester kom med matkorg på armen, med ovana godsaker, som vanligen gick i luffarnas magar. Mormor kallade dem alltid ”vandringsmän”: det lät mera aktningsfullt och medmänskligt.

Kärleken är blind och orättvis. Min mor ansåg, kanske ej utan skäl, att mormor föredrog moster Ester. Hon hade varit pappas flicka, och efter sin skilsmässa hungrade hon efter ömkan och moderlig kärlek. Hon var överhuvud hjärtslitande beroende av medkänsla, ömkan, en bedrövlig ersättning för den kärlek hon aldrig fått uppleva. Jag såg henne när jag var i tonåren spela ut sitt ömhetsbehov inför en läkare på hembesök – ”men doktorn kan väl tycka lite synd om mig!”

Denna bevekande röst, dessa hundlika blickar... Jag fattade i all min omogenhet, att det var en erotisk scen, och jag skämdes djupt över något så ovärdigt. Som om vår längtan efter kärlek hade något med värdighet att skaffa.

Hennes brev till systern är en evig klagan och ett evigt pockande på medkänsla, och Ester slösade ur sin kärleks ymnighetshorn. Trots alla olikheter var systrarna varmt fästa vid varandra. Det ”orättvisa” låg väl i detta, att det var så mycket lättare att hålla av Ester än min dystra och inbundna mor. Det var lättare för männen, lättare också för mormor. Den stränga och heliga kvinnan kunde ej tillåta sin dotter att gå ut på dans, men Ester smet ut genom ett fönster och kom hem på morgonkvisten med halmstrån på kjolen och sugmärken på halsen, leende och salig.

Inför bannor och stränga förmaningar tog hon sig en svängom i stugan.

– Men det vet väl mamma, att kung David dansade framför arken!

Heligheten kom av sig, mormor log mot sin vilja. Med den truliga dottern Anna var hon inte lika eftergiven. Efter skilsmässan kände hon sig också sviken av modern. Jag vet inte om mormor menat, att dottern borde ha underkastat sig misshandeln för att förlåta sju gånger sjuttio av aktning för äktenskapets sakrament, eller om hon fann detta lidande näranog uthärdligt efter sitt eget martyrium. Säkert är, att min mor kände sig övergiven och kränkt. Förmodligen var hon också fiken på beundran för sin studiebegåvade son, men den fromma kvinnan var likgiltig inför allt som hade med jordelivets höghet och ära att skaffa. Vad spelade det för roll var man tjänade sitt bröd under den korta tid man suckade efter ett hinsides? Varför blev det inget av pojken, varför skulle han ligga i Uppsala så länge? Hon älskade säkert sin egen son, men jag tror inte hon begrep så mycket av Sams lysande bana från fattighjon till professor.

I kraft av sin blinda gudstro hade hon en styrka att uthärda, som nästan var skrämmande. Jag har läst ett brev från en tid, då moster Mia slutligen förmörkades och togs ifrån henne för att dö på någon anstalt. Där talar den yttersta vanmakt och resignation: nu finns det ingenting mer jag kan göra. Ingenting, ingenting alls.

Men gudstron stod kvar, orubblig som en klippa.

Moster Esters sinnlighet och livsglädje var ej av det självviska slaget. När mormor blev skröplig togs hon hem till tvårummaren i Karlstad, där redan två föräldrar och två halvvuxna barn skulle samsas. När därtill mor och jag kom på visit blev trängseln asiatisk. Men det goda humöret tynade aldrig, ej heller den flödande, värmländska berätterglädjen. Pojken på besök anade inte då, att han befann sig i en diktarskola, när han satt under bordet och lyssnade. Mormors stammande inlägg om Vår Herre bemöttes med vördnad, men Esters munterhet tog ständigt överhanden: har I hört denne här...?

– Det satt tre käringer i en backe, å di va vinne å di va skacke...

Och alla skrattade, och även den stränga och heliga kvinnan kom på sig med att le, mot sin vilja.

Mormor hade vänt verkligheten och livet ryggen, men detta underliga liv envisades med att behålla henne i det längsta – hon blev mycket gammal. De sista åren behagade Jesus lindra ålderdomens börda genom att visa sig för henne – det var en stor ynnest.

En dag var hon bara borta, som en fågel i skogen. En grym Herre hade hon tjänat sin långa levnads dag. Men hon hade aldrig klagat.

Det tycks framgå av dokumenten, att hon aldrig besökte sin make på hospitalet. I hennes stillsamt fanatiska resignation fanns en kärna av kall insikt – det tjänar ändå ingenting till.

Ske Guds vilja. Han är så mycket starkare än jag.

4

Man talade inte om morfar under min barndom, man talade inte om moster Mia. Svaghet och sjukdom var skam och skuld bland de betungade. Jag undrade ibland om mina möten med Mia var en dröm.

Men visst har jag mött henne, visst minns jag.

Hon hade samma moderligt fylliga kropp som sina äldre systrar, och det är väl inte orimligt förmoda, att en naturlig längtan efter kärlek, man och barn pinade henne ofta. Att hon upplevde svek och besvikelser i kärlek vet jag, att blodets röst hade ett eko av skuld och skam är uppenbart. Vad som annars förmörkade henne av ärftlighet eller grymma barndomsminnen kan jag ej avgöra.

Alla dessa ”förklaringar”, som vill lätta medkänslans börda!

Jag mötte henne hos mormor, när hon ansågs frisk nog att vara hemma. Den gamla kvinnan upptog hennes egenheter med fromhetens lugn. Kanske såg hon i dottern en gudomligt utvald, inbegripen i heligt obegripliga samtal med Herren. Ej heller jag kände mig störd av hennes sällsamheter, vuxna människor är ju alltid gåtfulla och sära, barn uthärdar mer av mänsklig egenart än de förvuxet kloka.

En skälvande oro och häftiga ryck av ömhet minns jag. Vi vandrade ofta i skogen, hon teg eller grät, hon talade sitt brustna, gåtfulla språk. Jag lyssnade allvarligt och tyckte mig ana ett budskap från en annan ordning än människors. Hon mumlade, skrek och överföll mig med kyssar ibland. Men hon skrämde mig aldrig som min far.

Jag såg henne under ett stort utbrott en gång. Hon stod framför kammarens söndriga skolorgel, tryckte på tangenter, skrek och ropade på Gud. Hon såg smärtsamt på mig, som för att mana mig att deltaga i denna rit, tala hennes språk, förstå. Jag stod undrande, skamsen och tyst. Det var som att möta högvilt i skogen, ett lidelsefullt seende, en inre spänning, men samtidigt främlingskap. Kanske en ilning av sorg för att jag inte kunde gå in i hennes värld och bli delaktig.

Dunkelt måste jag ha anat, att också moster Mia tillhörde en annan ordning än den som var människors. Hennes anrop och skrik var obegripliga bara för oss. Någon hörde dessa disharmoniska toner och förnam dem som skön musik.

Jag stod utanför denna ordning, men jag var inte rädd. Kanske skulle jag en gång träda ditin.

Moster Mia försvann ur min värld någon tid senare. Ingen talade mer om henne.

Hon var bortglömd av alla.

Kanske glömdes hon också av denne Gud hon så hjärtslitande sökte beveka.

Och varför skulle han minnas den arma? Han var så mycket starkare än hon.

Denne blinde Gud krävde hekatomber av människooffer för att

känna den lidandets vällukt han begärde.

Mia var bara det doftlösa, förtorkade liket av en fågel i skogen, övergiven och glömd, slutligen bara några dun som spred sig för vinden.

5

Att vara självömkare eller förebedjare... Kanske en konstlad motsättning. Om vi är jämlikar, då måste man vara galen som markis de Sade för att ej tala om många när man bara tycks tala om sig själv.

Ofta var det dock mina nära och kära jag berättade om, med växlande grad av fiktion och förklädnad. Det var en plikt, en pietet som kunde bli en tung börda – å, kunde jag slutligen bli fri från minnet av dessa sjuka martyrer!

Om min far kunde jag berätta bara i förskönad form eller i djupaste förklädnad. Han var för osannolik, ett djur, en demon. I mardrömmar lever han ännu.

Som ung var han nästan efebiskt vacker, om man kan tänka sig en Antinous byggd som atlet. Han bar ett violett födelsemärke under ena ögat, det gav hans blick en kyklopisk intensitet. När hans ögon stirrade i vrede stod jag förlamad.

Min kanadensiska halvsyster genomgick en svår operation. När hon vaknade ur narkosen såg hon den dödes skugga resa sig vid sängens fotända. Han kallade på henne och viskade.

– Kom till pappa, lillan. Kom.

Han ville locka henne till sig i nattens rike.

Min äldsta syster, den enda av oss som vågade stå honom emot, såg honom också under sina sista, kvalfyllda stunder. Då blev hon åter en liten flicka, som vädjade och bad till den mäktige – pappa, pappa...

Det var döden som iklädde sig hans fruktansvärda gestalt.

Jag såg honom själv en novembernatt 1988, på ett hotellrum i Mariehamn, dit ödets vågor vräkt mig. Som vanligt när ångesten blev för svår, gjorde jag förvirrade försök att få hjälp med telefonens hjälp. Genom elektronikens demoniska tandagnissel, fnitter och brus hörde jag min dotter ropa på mig från barmhärtighetens avlägsna land...

– Kom hem, pappa! Kom hem!

Men jag kunde inte fly, jag hade arbete och plikter som väntade nästa dag, jag kunde slutligen inte höra hennes röst, allt var oundvikligt, overkligt, jag lade vanmäktigt den syrsegnistrande telefonluren ifrån mig. Det var i detta hjälplöshetens ögonblick jag fick se honom i ett hörn av rummet. Han var som vanligt klädd i blåställ, en ung man, kanske trettio år, i den ålder då han avlade mig.

Han log, och min kropp rämnade av skräcken och spillde sitt inkråm på golvet, en myriad ögon av marmor och glas, alla brokigt bemålade. De rullade stirrande på golvet, ögon, ögon...

Jag vet vad de ville säga mig. De var bilder av alla dessa möjligheter till medkänsla och insikt jag försummat i livet. En orsak till skuldkänsla var ju denna, att jag ålagt mig bota och hela där han slagit och dräpt. Men jag räckte inte till, förstörelsen var för stor, min svaghet dignade under bördan. Jag orkade inte.

Rummet var mörkt, men han stod solbelyst i ett hörn vid fönstret. Han log hånfullt men talade inte. Jag förstod ändå hans mening.

– Jag är. Jag är den som är. Du är bara min skugga.

Jag förstod att han talade sanning, mitt livs Jahve. Jag är hans skugga. Som åren går, och den gudomliga ondskan stiger i zenit, ska jag krympa mer och mer. Slutligen bara en stoftgrå strimma vid hans fötter.

Och han ska aldrig dö. Han är odödlig som alla demoner.

Var fanns den Ordning, som höll honom i styr? Nej, demoner och vilddjur står utanför all ordning, det är sant. Den Frihet han njöt i sin egen krets skulle han missbruka till grymhetens vilda godtycke. Han stod utanför och bortom allt mänskligt, om honom är det nästan ogörligt att berätta. Ändå var det han som formade och styrde mitt liv. Och han som bestämde vad jag skulle skriva. Jag var en skugga, som även efter döden följde sin herre.

Om ansvar och skuld stammade och mumlade skuggan ständigt, medan hans skugglika liv förkrympte. Nej, det var inte enbart hans egna laster och svek som bestämde ämnet. Alltför ofta i barndomen hade han stått maktlös och handfallen vid sidan av härskarens brott, oförmögen att ingripa och avstyra. Den mäktige hade höjt sin arm för att slå och slå, när skuggan upprepade hans åtbörd kom ingen till skada, men skuldkänslan infann sig ändå.

Nu och alltid – en skugga. Fåfängt gör skuggan uppror mot sin herre, skuldtyngd och ansvarig underkastar han sig den väldiges makt. Nu och till livets slut – en skugga.

Hur talar en skugga till levande människor? Hur gör sig en skugga förstådd?

*

Men vad tjänar det till. Även en skugga har ansvar för andra. Inget lidande i barndomen befriar från medmänsklighetens krav, långt mindre gör det levande dikt av detta plågade mummel.

Vad är medmänsklighetens svåraste bud? Kanske att offret måste förstå även sin bödel.

Vad kan jag skänka honom av förståelse och medkänsla? Kanske detta – han måste ha levat i den största ensamhet. Han var ensam som bara vilddjuret och demonen kan vara. I mitt minne kan han framstå som en rovfågel, med glasgula ögon blickande ut i sin ensamhets öken.

*

Jag står nu vid ålderdomens tröskel men finner det ännu svårt att berätta. Jag förstår honom inte. Var han galen eller ett vilt djur?

Jag minns en gång då han sökte dressera en fölunge. Det ville inte lyckas, som vanligt var han för otålig och hårdhänt. Han slog då en snara om fölets bakhovar och hissade upp djuret i stalltaket med block och talja. Därpå slog han och slog den krampaktigt ryckande kroppen med piska, och han skrek och skrek i falsett.

Detta stod pojken och såg men kunde ingenting göra: han är starkare än jag. Förmodligen kissade han på sig, som alltid när skräcken blev för svår. Kanske var han inställsam mot den mäktige efteråt, för att själv slippa stryk.

Minnesskärva – en misshandlad häst som gråter, hänger med huvudet, tårarna rinner. En annan häst söker trösta kamraten, buffar den med mulen, visar den ömhet som inte finns i människornas värld. Han är starkare än vi – ändå måste vi leva och uthärda.

Detta att man till varje pris måste leva och överleva föreföll pojken egendomligt ibland, särskilt när han såg sin egen mor misshandlad. Bara sällan vågade han be fadern om barmhärtighet. Han var rädd för egen del. Det var i ögonblick som dessa stendrömmen kom till honom. Genom en viljeakt sökte han förvandla sig till granit som inget känner.

Men jag finner det ännu svårt att berätta, fast jag snart är en gammal man. Ibland fruktar jag att mardrömmarna ska komma tillbaka. Och den mäktiga trösten att lämna verkligheten och träda in i en ordning, där jag är oåtkomlig och osårbar, den tillflykten äger jag inte längre.

Äger bara trösten att skylla på honom för att jag blev en krokvuxen människa och en slät skribent.

Egendomliga minnesskärvor. Fadern var ofta missnöjd med maten och föll i skrikande raseri vid måltiden. Det var pannkaka en gång, det väckte hans vrede. Han dängde servisen i väggen, syltstänk och skärvor, han skrek och skrek. I minnet står modern vid spisen och söker tömma en köttkonserv i en stekpanna, men händerna darrar så hon har svårt att klara det enkla arbetet. Pojken sitter förstenad och ser sylten rinna i blåröda strimmor nedför köksväggen. Och det finns ingen undanflykt. Skräcken som gul gelé, så tungt att andas.

I vår känsla av vanmakt och skräck fanns förmodligen övertygelsen, att det måste vara så här: han är starkare än vi. Den enda som ifrågasatte var min äldsta syster, som tidigt kom hemifrån, gick i andra familjer och såg att det alls inte måste vara så här. Hon var den som revolterade, och han skyggade för att slå en könsmogen flicka. Men han hatade sin dotter och avskyn var ömsesidig. När min syster talade om honom använde hon hans borgerliga namn, kallade honom aldrig far eller pappa. Jag undrade över namnskicket, och hon förklarade med sin vanliga klara logik – att kallas far och pappa är ett hedersnamn, större än kejsare, kung och baron. Att vara en far är att arbeta och älska och vårda sig om de sina.

Den mannen Delblanc var inte värd det stora, heliga namnet ”far”.

Jag var skakad av hennes ord men kunde inget invända: hon hade rätt. Och när mina egna barn kallar mig ”pappa” och ibland visar mig ömhet och förtroende, då känner jag att åtminstone något har gått rätt i mitt skeva, förfelade liv. Jag är bara en ofullkomlig och vanlig pappa, men det är mycket nog.

Var han ett vilddjur? Egentligen inte. Djuret som möter ett motstånd söker en omväg eller resignerar. Denna varelse föll bara i raseri och sökte stånga huvudet genom berget. Han ville tvinga verkligheten att lyda. Men verkligheten hade sin egen vilja. Den var starkare än han.

Men efter döden ägde han ännu makt över våra liv. Han följde min starka och stolta storasyster till nattens portar.

Var han sinnessjuk? Men i så fall en galning med humor och berättartalang, en fabulös språkbegåvning, utom svenska och danska talade han engelska, tyska och franska idiomatiskt och flytande. I Kanada kom franskkanadensare bara för nöjet att tala med honom: hans europeiska franska lät vacker jämförd med deras egen sträva och ålderdomliga dialekt. Han lärde sig språk genom att lyssna, i sin snabba inlärning var han ett underverk.

Bönder är gärna konservativa, kanske måste de så vara i många stycken. Naturen ger och ger men tål nymodiga ingrepp bara inom sina egna gränser. Min far var nymodigheternas man, i mycket före sin tid. Han var den förste i bygden som odlade oljeväxter, han införde den nordamerikanska höskrindan, som först sågs med misstro, sedan blev efterapad. Under kriget började han anlägga kolmilor och sälja träkol till gengas. Det var en bra idé, men han blev snart utkonkurrerad av storföretagare. Han hade en såg som mestadels stod stilla, gården hade ej skog så det räckte. Han köpte en traktor på avbetalning, genast kom kriget, traktorn fick ingen olja och diesel, med gengasaggregat orkade den inte dra en dockvagn.

Och han rasade mot denna verklighet, som inte ville rätta sig efter hans vilja.

Han arbetade hårt, kanske för att bränna bort sin överskottsenergi. Med alkohol var han måttlig på gränsen till absolutism, kanske var han rädd att eldvattnet skulle spränga honom i luften. Han var företagsam och driftig men hade aldrig lycka i sina företag. Och han rasade mot denna tröga verklighet, och hans vrede slog mot de svaga, mot hustru och barn och oskyldiga djur.

Min mor spelade kvinnans givna roll, att vårda och bevara, att dämpa och lugna. Hon stod för det ekonomiska förståndet i familjen och hjälpte min far med självdeklarationen, vilket annars inte var kvinnogöra. Under detta äktenskap åtminstone var han socialt och ekonomiskt någorlunda tryggad. Sedan gick han från nederlag till nederlag mot sitt slutliga elände.

På något sätt var han fäst vid mig, den ende, dyrbare sonen. Att pojken var sängvätare och särling tyckte han inte om, han ville ha en frisk krabat till grabb. Han kunde inte förstå att det var hans egen vrede som gjorde pojken avvikande och underlig.

Men han kunde slöjda leksaker åt sonen och ville gärna ha honom med i arbetet. När han stod vid snickarbänken i logen kunde han berätta om sitt liv och även återge innehållet i gamla Chaplinfilmer, så pojken vred sig av skratt, inte bara av inställsamhet. Hans humor var drastisk och stundom grovkornig.

Det var inte ofta han slog sin son. På ett egendomligt sätt var det nästan en lättnad att få stryk, då kunde man skrika av hjärtans lust. Den evigt tigande skräcken var värre. Att ständigt vänta på stryk är värre än att spöas.

Ibland ville han ta pojken i knät för att kela med honom – var lite bussig mot pappa! Men det var svårt, grymma minnen blockerade, "bussigheten" blev inställsam och tvungen. Alltför många minnen förlamade.

Som den gången, då han envisades med att spänna en dräktig märr framför ett tungt lass. Ute i markerna blev det för mycket för det arma djuret, hon sökte ideligen lägga sig mellan skaklarna för att föla. Och han skrek som en galen kvinna och piskade det försvarslösa stoet. Sådana minnen förlamade sonen. Men han tvingade sig att le mot pappa, tvingade sig att smeka hans kind. Han är starkare än jag.

En gång fick han stryk på moderns begäran. Det var så ovanligt att han minns det klart. Det var dessutom helt obegripligt.

En arbetarfamilj hade hyrt in sig i östra flygeln. De hade en dotter som kommit i puberteten och brann av nyfikenhet för könet. Naturligt nog ville hon veta hur männen var skapade. I brist på man tog hon med sig pojken, som då var helt liten, för en anatomisk undersökning i vedboden. Pojken var smickrad av en stor flickas intresse. Examinationen var varken behaglig eller obehaglig, det var lite hedrande att stå till tjänst, kanske. Skuld och skam förnam han inte, könets mysterier var okända ännu.

En vandrare från bygden gick förbi och fick se den harmlösa stjärtleken. Skummande av dygdig fasa sprang han in och anmälde brottet för den vanartige gossens föräldrar. Och nu var det modern som krävde att pojken skulle spöas, medan fadern motvilligt uppträdde som bödel. Pojken fick stryk med en planka, kan det möjligen tilläggas.

Modern var upprörd över brottet, medan fadern flinade och tillät sig en eller annan mustig skämtsamhet. Men stryk skulle pojken ha och stryk fick han. Han förstod aldrig varför. Vad ont hade han gjort? Men de stora var starkare än han, även modern.

Sent omsider förstod han sin mor. Hon hade två gånger i livet blivit lurad i olycka av sitt röda kvinnoblod. Sedan kunde hon aldrig förlika sig mer med detta övermäktiga kön, som förde människor vilse.

Fadern var ense med sitt kön och en grann karl. Hans charm var stor när han var på det humöret, och kvinnor skalv inför honom av skräck och begär. I sin galenskap trodde de, att hans vildhet skulle vekna i kvinnofamn.

Vi kallade honom ”pappa”, men det stora hedersnamnet var han inte värd. I storasysters bitterhet mot fadern låg en befogad känsla av svek och bedrägeri. Han borde ha givit sin dotter en god och betryggande bild av Mannen, som hjälpt henne att söka en god ledsagare genom livet, nu fick hon möda sig på egen hand. Båda systrarna förenades med män som var faderns motsats, lugna och stillsamma karlar.

Arv och miljö... Hade inte pojken blivit överkänslig också med en annan och bättre far? Kanske. Med dessa skräckens minnen blev dock inget bättre. Värst blev det under ett besök hos fadern i Manitoba sommaren 1947. Det blev en livsfarlig tvekamp, tonåringen kom hem illa medfaren och galenskapen nära. Dock hade han revolterat nog för att rädda något av sin självaktning.

Han blev rädd, misstrogen, på sin vakt. Han hade långt upp i åren ett behov av en far. En äldre man som visade honom vänlighet och därmed besegrade hans vaksamma skräck, kunde han ägna en svärmisk och närgången kärlek. Inför det onda i världen pendlade han mellan ytterligheter. Han kunde ömsom sticka sig undan i en vrå och uppgivet sucka över att allt är som det är och måste vara, det onda är starkare än jag, ömsom brusa upp i vrede mot detta han såg som en faderlig orättvisa. Han var ömsom undfallande och bufflig. Hans beteende var ”osmidigt” och föga ägnat att främja hans fortkomst i livet, men det var ingen moralisk förträfflighet som gjorde honom brutalt uppriktig ibland, det var betingat. Det var faderns skugga han revolterade mot. Han skulle alltid bära med sig en folklig misstro mot överheten, som i grunden var barnets vaksamma blick nedifrån på den stora, faderliga makten. Den makten kunde aldrig vara god. Den hade ingivit honom en skräck, som han bar med sig genom livet.

Fadern gifte om sig redan ett år efter skilsmässan men kom snart på obestånd. Han var jagad av polisen och for runt och sökte arbete under antaget namn. Tidvis levde jag samman med honom, jag minns att vi gick under namnet ”Hermansson”. Jag minns skräcken när vi uppsöktes av frågvisa män, möjligen civilklädda poliser. Han ljög och svängde sig ganska smart, den trevlige Hermansson, som tyvärr glömt sina identitetshandlingar hemma i Åmål. De frågvisa lät nöja sig, medan vi fick brått att packa och fly.

Jag skämdes inte då och skäms inte nu över de brott han möjligen begått. Vad bryr sig kärleken om lag och rätt? Om Delblanc varit en god far hade jag hjälpt honom att spränga kassaskåp. Men han var ingen god far.

Så snart han kunde, våren 1946, flydde han tillbaka till Kanada, där farmen väntade. För att komma in i landet var han tvungen att förfalska sitt pass. Han borde ha minst tusen dollar deponerade i bank, allt han ägde var etthundrafjorton. Han skrev till en etta i passets stämpel, med olikfärgat bläck. Ett barn kunde genomskåda den klumpiga förfalskningen, men han slank in i den nya, strida strömmen av immigranter.

Han kände sig ensam i sin timmerkoja och lyckades låna ihop pengar till en enkel biljett åt sin son. Från maj till september bodde vi ihop därute, innan kära Farmor lyckades få mig hem. Om denna tid kan och orkar jag inte berätta.

Hustrun följde honom inte, och min äldsta halvsyster har inga minnen av honom. För henne var han bara en försumlig fader.

Snart lockade han över en kvinna från Sverige och gifte sig en tredje gång. Han fick två döttrar och en son, mina halvsyskon. De är märkta av grymma barndomsminnen.

Han satte sig i skuld, förlorade farmen, köpte en ny, förlorade även den. Då övergav han sin svältande familj och for runt i landet som snickare. Han sände inte hem några pengar, han sparade dollar efter dollar för att kunna köpa sig ännu en farm. Hans barn åt ur soptunnor och fick ibland en slant eller matrester av välgörenhet.

Sin egen stolthet ville han tydligen värna.

Slutligen köpte han sin sista farm, i Vassar, södra Manitoba. Han blev lurad, jorden var obrukbar och bestod av kvicksand mest. Detta knäckte honom äntligen, han var nu en gammal man. Familjen tog emot allmosor bakom hans rygg, han låtsades ingenting märka.

Var dag gick han ut på sina värdelösa marker, tände en eld och satt och påtade i den. Hans ovana att tala högt tycks ha tilltagit vid denna tid. När han var retad gick han gärna och grälade på osynliga fiender, det var en hemsk egenhet. Nu satt han dagarna i ända vid sin tynande eld och grälade på Gud. Vår Herre brydde sig inte om att svara. Han hade nått sitt mål och var nöjd. Gud var starkare än han.

Min kanadensiska halvsyster har svåra märken av sin barndom i hans slagskugga. Vi har jämfört våra minnen, och allting var sig likt. Samma nyckfulla beteende, samma blossande vrede. Och för henne samma mardrömmar och samma skräck.

Han fick magkräfta slutligen, led grymt och magrade till ett skelett. Jag vet inte om han förnekade sin sjukdom eller saknade pengar till den bussresa, som kunde föra honom till sjukhus. När han äntligen opererades var det för sent.

Hans djuriska livskraft gjorde pinan lång – detta var bokstavligen enda gången i sitt liv han var sjuk. Stoltheten förbjöd honom att skrika, han ryckte av kramper för att föda sin död. När morfinet lindrade hördes han mumla för sig själv.

– Nog har jag fått för mitt!

Jag vet inte riktigt vad han menade. Erkände han sina brister och fel? Det var i så fall första gången i livet.

Inte vet jag om den starke guden ville straffa honom, än mindre vad hans lidande skulle tjäna till. Lidande medför ingen försoning.

När han dog levde skräcken kvar.

6

Fadern gav honom skräcken och avskyn för makten, modern gav honom fruktan för könet, den outtalade övertygelsen, att detta mellan man och kvinna var skuldbelastat och ont. Hans okunnighet var bottenlös.

Han såg tjurar bestiga kor, hingstar ta språng på svankande ston, galtar som skruvade in sina organ i suggor. Han såg men förträngde all kunskap. Hans jämnåriga kamrater skrädde inte orden om sänglag och kön, han lyssnade men kunde inte förstå.

En nyfiken jänta blottade honom, för detta fick han stryk men kunde ej fatta varför.

Hans okunnighet gjorde honom hjälplös.

På väg till Husby skola fann han en obegagnad kondom i omslag av violett stanniol. Han trodde det var en ballong och vandrade förnöjd genom samhället medan han blåste upp gummit och jonglerade med det. Under detta greps han av en känsla av overklighet – han var iakttagen mer än vanligt, fönstren fylldes av ansikten, som uttryckte harm eller munterhet. Telefonerna ringde vida omkring, och i skolan blev han överfallen av vaktmästaren och hans hustru, med hugg och slag och hårda ord. Den barska kvinnan tvättade ur hans mun med grönsåpa, därmed skulle han botas för dröppel och syfilis. Det vanartiga barnets hårt prövade föräldrar hade självfallet underrättats, och han tuktades hårt men rättvist.

Och han begrep inte alls vad han gjort för ont. Han hade hittat en ballong, vad var det för fel med det?

Men särskilt faderns vrede var alltid så oberäknelig, att han aldrig frågade eller protesterade. Det var som det brukade vara. De var starkare än han.

Skolkamraterna gycklade med honom efteråt, och han förstod dunkelt, att det fanns något han borde kunna men inte kände. Och han ville inte yppa sin okunnighet genom att fråga sig fram.

Storpojkarna i skolan blev nyfikna nog att lägga upp honom på ett bord och företa pittmönstring. Pojkfan var inte färdig ännu. Han kände sig kränkt och förödmjukad men vågade inte berätta för någon. Förmodligen var han medskyldig, ovisst hur, obefogade skuldkänslor låg alltid på lur. Dessutom var storpojkarna starkare än han.

Skolpojkarna hade en anvisad kvällstid i den kommunala bastun, där de med lugn självklarhet runkade i grupp, så säden dröp som rå rappning av väggarna. Vi som inte var könsmogna fick vara publik och fjäskande hylla mannakraften. Något litet började jag ana till slut, även om denna frenetiska verksamhet tedde sig mer konstig än lockande.

Nej, jag minns inte detta med vämjelse, ett och annat var närmast rörande. Jag minns en kamrat som sökte forma en badhandduk till kvinna för att sedan tömma sin unga mannakraft i ett veck av frotté.

Barndomens sagoskog rördes av könets första vårbris, förpuberteten var inne, oskuldens leksaker förlorade sin magi. Leksakerna var aldrig de fina gåvorna från farfar och farmor, de misshandlades några dagar och lämnades sedan söndriga i något skåp. De riktiga leksakerna var kottar och pinnar, tomma trådrullar och burkar, ting som kunde trollas till liv av fantasin. Nu började barnet se sig om efter manlighetens yttre tecken. Han fick sin första morakniv, den vuxna karlaktighetens emblem. Oro drog genom trädens kronor, han vaknade om natten av en längtan utan mål.

Ljumma sommarnätter smög han naken ut i trädgården för att känna den druvblå nattens andedräkt mot sin hud. Det ingav en sinnlighetens extas, olik all annan hänryckning som lockade honom bort. Stjärnhimlen var sig lik men ändå annorlunda, klarare för hans syn men ändå mer avlägsen.

Den gryende sinnlighetens ljumma vind kunde leda till galenskaper. Han lekte med en flicka en varm sommardag, de blev alltmer tysta och spända, gömde sig slutligen bak en halmstack och klädde av sig nakna, ovetande om hur man och kvinna famnar varandra, i en vild oskuld som i Paradisets gryningstimme. Han sträckte ut fingertopparna och vidrörde gropen över hennes nyckelben, hon rös och fick gåshud på kroppen. Dunkelt medveten om en fara vände hon sig och grep efter sina kläder. Allt var nödvändigt, omedvetet och sinnligt bortom ord och begrepp. Naturen hade skalat två omogna frukter och prövat deras smak i sin varma, fuktiga mun – inte ännu!

Vårstormar följde på den ljumma brisen: under den sista tiden på Mölna trädde jag in i puberteten och fick känna dess elände. Om jag levat i medeltiden hade jag genast trätt i brudstol med den sinnliga Sonja eller den skälvande Lisa, men jag levde i en upplyst tid av nödtvungen askes. Stark var känslan av maktlöshet, detta att förvandlas till kentaur, hjälplös ryttare på sitt eget kön, vilseförd i vild karriär av en drift som var starkare än allt. Att inte kunna gå utomhus utan att drabbas av erektioner, som skamligt bulnade i byxan... Vi pojkar hade en hemlig ordlista för könets galna påfund, som vi underkastade oss med en blandning av stolthet och förtvivlan. Vårt hemliga språk har sjunkit i glömska, dock minns jag ordet ”bussfjong”, beteckning på den ofrivilliga erektion som alstras av vibrationerna i ett fordon. Man var utlämnad åt sitt kön och hjälplös.

Jag bär inga plakat och har inga yrkanden, jag säger bara som det är eller var. Den som förnekar den ensamma unga manlighetens elände ljuger.

Jag hade en kamrat som idkade tidelag med kor i sin misär, han drömde erotiska drömmar om kor. Han var inte dummare än jag och på intet sätt efterbliven. Han är i dag familjefar och en aktad medborgare i samhället.

Detta var före pillrens tid, flickorna var mestadels förlamade av skräcken för havandeskap. Könen umgås friare nu, men de unga har väl fått andra problem. Man utvecklas snabbt, känslans bindsel knyts och slites, kärlekens rosenbuskar kvittrar av sorgens fågelsång i livets vår. Och de arma ungdomar som i detta erotiska frihetsrike blir utan vänner lär inte ha det lätt.

Och jag? Först okunnighet och skräck och skuldkänslor över min brottsliga manlighet, blandat med ensamhet och hopplös längtan. Jag drömde samman en väninna som hette Agnes, åt henne skulle jag ge hela mitt överflöd av kärlek. Jag blåste liv i denna dröm och gav henne en plats i en roman. Jag kallade henne Agnes Karolina.

– Inget är som den första kärleken, sa en vänlig läsare. Så vackert du har skrivit om flickan som var din ungdoms stora förälskelse!

Jag nickade och log. Vad skulle jag säga? Det fanns ingen Agnes Karolina, hon var bara en dröm i min ensamhet.

Var det min mors puritanism och avsky för det förrädiska könet, hennes bittra vedervilja mot en horkarl som farbror Stig? Var det den faderlige demonens grymhet, som fick mig att skämmas över att tillhöra mankönet? Jag vet inte. Säkert är att jag förlamades av skräck inför detta kvinnokön, som jag förmodligen var dömd att göra illa.

Samtidigt var dess lockelse oemotståndlig.

Av vanmakt och skuldkänslor blev jag besatt av drömmen om den sovande kvinnan, skönheten att bara betrakta, ej att skända och besudla. Myten om Ariadne på Naxos grep mig med oemotståndlig makt. Jag ville vara Dionysos, han som kom till den övergivna på ön, ej för att äga, blott för att hängivet betrakta... O, sovande Ariadne!

När jag hör den bekanta operan kan jag finna välljud i Ariadnes klagan. Tenorens bölande kärleksaria inger mig obehag: han borde nöja sig med att tiga och se.

I djärvare stunder drömde jag, att jag var spädbarnet Herakles, som fann den sovande Hera i skogen. Jag drack av hennes mjölk och växte till ett gudomligt väsen, befriad från manlighetens skuld. I omvandlad gestalt kunde jag mottagas i gudinnans famn.

Jag hade inte ens kysst en flicka när jag kom till Uppsala i tjugoårsåldern. Jag var så övertygad om min fulhet och ondska att jag inte uppfattade de varsamma inviter jag fick av intresserade flickor.

Men här var något som inte stämde. En kortvuxen tjockis bland mina kamrater, en gris med manslem under buken, var företagsam och framgångsrik bland flickor, han skröt ohämmat med sina segrar. Var naturens makt så stark, att flickor i sin inbillning måste förvandla grisar till män för att inte ligga ensamma i sängen, gå ensamma i livet?

Eller måste jag själv förvandla mig till svin?

Hur skulle jag då återfinna mitt jag?

Och vad ägde jag att skänka detta gåtfulla kvinnokön? Vulkanens eld eller svaveloset av skuld och skam?

Kanske var jag stympad för livet.

Att vara ensam med en kvinna kunde kännas vanskligt och ohanterligt. Att bara se kvinnor på gatan var en stor glädje, är det ännu. Betrycket lättade och skaparkraften kom, som alltid med en melodisk tonslinga spelande i huvudet, en lycklig exaltation som pressade tårar ur ögonen. Att plundra trädet på bär var skuld och skam, att bara betrakta var sällhet.

Aldrig var ångesten så svår, att inte blotta tanken på det motsatta könet innebar tröst och frid. Att det givande körsbärsträdet i skogen inte begärde bättre än att tagas i anspråk, hade jag länge svårt att förstå.

Jag gladde mig bara åt att det fanns.

Nu står skogen kal, fast skammens harpyor ännu häckar i träden, tigande beredda att flyga in om natten för att slå sina smutsiga klor i mitt hjärta.

Nu ser jag genom fönstret mitt fågelbärsträd stå risigt och kalt i vinterns tid. Är det sjukt och döende kanske, detta vilda, främmande, mycket ensamma träd?

Eller är luften giftig, marken sjuk?

7

Länge sökte jag efter en annan fader. Den förste i raden var morbror Rickard. Han var en alldeles vanlig pappa, men redan det var något så stort och varmt.

Som många starka och goda män var Rickard en smula toffelhjälte. Han satt bred och tyst i kökssoffan och lyssnade till Esters skrönor och prat, ibland med ett stilla leende. Han hade en egen son att måna om, men hans famn var bred, och han hade två kraftiga knän att erbjuda som sittplats. På mig verkade han som en uppenbarelse i sin enkla vanlighet, sitt vänliga lugn. Jag älskade beröringen av hans hårda händer.

Han var byggnadsarbetare men stod i skrået lägst i rang, han var hantlangare mest och sprang på sviktande ställningar med tråg av murbruk på nacken. Det blev jäktigt och vanskligt med åren, han föll en gång och skadade sig illa. Med tiden fick han en reträttplats som kommunalarbetare. Fattigt hade han det alltid, även om Esters goda humör drygade ut den knappa födan. Att han älskade hustrun är uppenbart, hennes famn var kärleksfull och varm. Jag har sett ett otympligt kärleksbrev av hans hand – han var tydligen i det närmaste analfabet. I den sparsamma kvarlåtenskapen fanns också brev från arbetskamrater, med det eldande tilltalet ”Kamrat!” Han hade alltså en politisk sida, som pojken aldrig blev varse. Av modern socialrealism kan man få intrycket, att arbetare ägnade all sin lediga tid åt politiska debatter, men fullt så heroiskt var det nu inte. Det var moster Ester som höll låda, ofta om släktens fina förbindelser och ärorika förflutna, medan Rickard log så milt. Fattigdomen omkring dem var ängsligt proper och renskrubbad, men fattigt var det.

Jag förmodar att morbror Rickard var måttligt intresserad av religion, men han åhörde tålmodigt mormors prediknignar, när han for till Skattkärr med matbud och för att lappa och laga på hennes hus. Slutligen tog han lika tålmodigt emot sin skröpliga svärmor i det redan överfulla hemmet.

Jag var svartsjuk på kusin Erik, jag höll av Rickard mycket. Men när jag nu söker i minnet kan jag knappt erinra mig en replik, bara ett vänligt muller av och till. Det var som om naturen och samhället endast givit honom det mest elementära av språket, det ytterligt lilla han behövde för liv och arbete. Hans uppgift var att lyssna och lyda, till förmannens order och murarnas otåliga hojt. Själv hade han ingen användning för språket, i hemmet var det Ester som pratade. Till mig talade han med sin öppna famn och sin hårda men varma hand.

En annan fadersersättning var farbror Knut, mer livaktig och politiskt aktiv: hans livs stora äventyr och ära var en facklig kongress, som föranledde en resa från Södertälje till Stockholm. Knut var ”ingift”, min köttslige farbror Stig var för orolig och lynnig att någonsin kunna tjäna som pappa för den ömhetstörstande.

Med farbror Knut gick det avigt till en början, jag var brådmogen i begynnande tonår, hudlös och utpinad, och värjde mig med oförstådda citat ur Schopenhauer och en framtoning som ungt snille; helt odräglig bör jag ha varit. Farbror Knut var vresig när han en dag bad om hjälp med sin kolonilott utanför staden: potatisen måste tas upp! Medveten om hans ilska gnodde jag på riktigt flinkt, detta var ju arbete jag kunde och förstod. Han blev som en omvänd hand när han märkte att jag inte höll mig för god.

När vi tog kafferast månade han om mig med en faderlig ömhet, som självfallet saknade ord och språk men som inte kunde missförstås. Bästa smörgåsen skulle pojken ha, du som växer, och ska du inte ha dig en tretår?

Han hade misstagit sig på grabben och gjorde bot och bättring med all ömhet han kunde uppbåda. Han hade inget språk för sådana känslor, lika litet som morbror Rickard, men hans känslor var uppenbara.

Inte vet jag vad han var för andra, för mig blev han länge den far jag behövde.

I fortsättningen tålde han utan knot att jag låg på hans soffa och slukade de arbetarförfattare han lojalt köpt in på Partiets bud men sällan läste. Tiden hade inte räckt till åt honom, även om han velat: han var metallarbetare på heltid, fackligt verksam och därtill portvakt. När han behövde hjälp med värmepannan ställde han sig ödmjuk i dörröppningen, nästan skamsen att störa mig.

– Inte skulle väl du...?

– Jodå!

Och jag slängde Ivar Lo ifrån mig och hjälpte honom hyva in björkved i källaren. Av pur ömhet blev han nästan överbeskyddande: ta dig fem minuter, nu gör vi kväller och äter en bit, vi tar resten i morrn...

– Du kan få regn på veden, vi raskar undan i kväll!

– Du tar dig rent för när, pojke.

Den av livet misshandlade och svårt ömhetshungrande kanske

kände alltför starkt för vad som var vanlig enkel hygglighet, naturvuxet mogna mäns omtanke om de unga. Men mötet med dessa två var som salva på själen.

Jag minns dem med tacksamhet och kärlek.

Minnet av mina ”fäder” har kanske haft följder för min syn på politik, när jag ids tänka på sådant. De som säger sig företräda Knuts och Rickards samhällsklass ter sig fasligt olika mina fäder. Sällan eller aldrig finner jag dem värdiga att framträda som ombud för dem. Överklassyngel, opportunister, cyniska snaskare vid köttgrytan...

Ni duger inte. Ni räcker inte till.

Inför mitt minne av Rickard och Knut kommer ni alla till korta.

8

Farfar och kära Farmor... Minns jag dem längre eller är det bara mina diktade bilder av dem jag minns?

Men dessa bilder var höjda och konturerade av fantasin, kanske också skuggade av bitterhet. Efter föräldrarnas skilsmässa kände jag mig utstött av farmor och behandlad som spetälsk. I så fall var det omedvetet från hennes sida, kalkylerande var hon knappast, däremot stroppig av sina sociala mindervärdeskänslor. Farfar var mera naiv, om också högfärdig över sin manliga skönhet. I grunden var dessa komiska jättar två stora barn, yrvakna i sin småborgerliga roll, knappast vuxna sina plikter i familj och samhälle. Deras två söner förolyckades gruvligt i livet: helt utan ansvar kan inte deras föräldrar ha varit. Den som önskar och orkar kan föra ansvaret tillbaka till Adam och Eva. Två stora barn, eller tre, om man räknar med farbror Stig. Min far stod som alla demoner utanför mänsklig ålder och tideräkning.

Jag sitter och ser på ett fotografi med farfar, farmor och Stig, det måste ha tagits på Berns. Farmor är högdragen och fet, farfar är grann som Kaiser Wilhelm i frack, Stig verkar stryktäck och hal. En skön ung dam skymtar fram i halvprofil, shinglad och elegant, en av de många kvinnor han plöjde men aldrig besådde. Många tilltänkta svärdöttrar fördes hem för att besiktigas av farmor, hennes snobbism och brinnande svartsjuka drev dem alla på flykten. Stig slokade men fann sig i domen. Han var ett barn. De var alla barn så länge de levde.

Farfar var dock en duktig yrkesman. Strindberg lovprisar Centraltryckeriets skicklighet vid en tid då han bör ha varit faktor där. Och det slår mig nu, att han låg bakom det nationalromantiska måleriets stora popularitet. Han var expert på färgtryck, gjorde själv uppfinningar och rön. Konstnärernas verk hade varit synliga bara för galleripubliken eller hade spritts i dåliga gravyrer, xylografier, litografier. Av farfar och andra bortglömda typografer spreds de i goda färgtryck över landet. Konstböckerna som trycktes under farfars ledning fanns en gång i vårt hem, han kunde visa med stolthet på bilderna i klara färger. Han lärde mig konsten att vika ark och sy ihop dem till en bok. Han försökte lära mig en god handstil, mina nervösa kråkfötter var oläsliga och ovärdiga typografens sonson.

När han började bli gammal och knäckt gav mig farmor hans käraste ägodelar, kanske av oförstånd, kanske av omedveten hätskhet mot mannen. Jag fick en medalj med Oscar II:s bild, en utmärkelse, kanske hade han fått den redan vid utställningen 1897. Jag fick hans vardagsur med mässingskedja. Jag fick hans arbetssnusdosa av nickel. Han motsatte sig och gruffade lite över att plundras på sina ägodelar, pojken är för liten, han slarvar bara bort dem! Och det gjorde jag mycket riktigt, jag slarvade bort hans skatter. Farfar var knäckt och orkade inte bråka.

Vid det laget hade farmor grund för sin bitterhet: hon insåg att hon skulle överleva mannen i största armod. Han hade inte sörjt för sin hustru, hade inte ens en livförsäkring. Men detta ägnade de inte en tanke när de satt röda och svällande av mat och vin på Berns salonger. De var barn. De levde i nuet.

De kom bägge av fattigt folk men hade inte lärt sig sparsamhet på samhällets botten. De spenderade som matroser på landpermis, förstod aldrig att sörja för sina barn. Åtminstone min far hade läshuvud och borde ha fått studera. Men farfar var den långa vägens man och kunde inte förstå, att inte sonen skulle gå samma väg. Farmor begrep alls inget, hon var fullt upptagen med att leka fin dam.

Men försummade farfar de sina? Uppenbarligen var det blyförgiftning, typografernas yrkessjukdom, som tvang honom till förtidspension och tog hans liv. Kunde han överhuvud få en livförsäkring?

Och farmor, som i sitt oförstånd trodde, att sysslolöshet var fina damers rätt, hon klagade över allsköns påhittade krämpor för att njuta lyxen att sova till långt in på förmiddagen. Hushållet och barnen fick tjänare ta hand om. Det var en trossats i hennes hycklade martyrium, att hon skulle dö först.

Så kom farfars sjukpensionering 1930, det tjocka lönekuvertet blev en tunn månadsavi. Tjänarna försvann, farmor fick uppliva sina minnen från slaktarhemmet i Kolding av en husmors arbete. Länge behöll hon dock ovanan att ligga och dåsa på morgonen, medan farfar borstade sin lösgom på WC. Därpå gick han ut för ett köpa färska franskbröd, koka kaffe och blada i morgontidningen, medan hans livslust bröt ut i gnolande sång: det var glömda stumpar av Überbrettl, gesällvisor och Ernst Rolf. Hans artistiska ådra medgav också rimmade hyllningskväden på högtidsdagar i familjen. Av rampfeber dolde han sig bak en gardin när han läste upp sina poem på en rotvälska av saxiska och svenska.

I läglig tid uppvaktade han sin hustru med frukostbricka och utstod mycket: hennes morgonhumör var surt. Sent och suckande kom hon i kläderna, men sedan gjorde hon sitt, skurade golv och lagade mat, nättopp som i Kolding. Så fick hon slutligen bita huvudet av skam.

Farmor behärskade en dansk och tysk kokkonst, som överträffade allt vad bondeköken i Vagnhärad kunde sätta på bordet av mjölsörpa, strömming och död ko. Min mor var puritan, skydde köttets vällust och var en slät matmamma. Hon och farmor hatade varandra, självfallet, och hon var nog lite avundsjuk över svärmoderns kökstalanger. Hon skulle själv kunna bättre, bara hon ville! "Det är väl ingen konst, när man slösar med grädde och smör!" Nu var det väl ingen brist på smör och grädde på Mölna gård, men hon såg förmodligen god mat som synd. Den dagliga rågmjölsgröten, luthersk och fadd, var lika oundgänglig som kvällsbönen.

Krogbesök på Berns med Farfar splendid i stärksaker, ack, den tiden var förbi, men de njöt det enkla frosseri de hade råd med. Farmors fläskstek var mäktig men god, till julen kom en gyllene gås på bordet. Hon bakade "Stolle" och annat läckert bröd.

Slaktardottern från Kolding var något av en snobb. Hennes man var knappast en fin herre, hennes söner gick svåra nederlag till mötes. I allt detta höll hon fast vid sin heta vilja att umgås med fint folk, "snycke mennesker", som hon kallade dem. Så rasande snycke var de väl inte alla gånger, men farmor visste knappt skillnad på folk och folk. I de kyrkliga kretsarnas kafferepsgäng var hon tillfreds med livet.

Kanske var det den sociala ambitionen som fick henne att behålla huset när farfar dog och lämnade henne utblottad. Om hon sålt fastigheten hade hon kunnat köpa in sig någonstans på resignationens ålderdomshem. Men hon klängde sig fast vid snycke huset.

Övervåningen var redan uthyrd, farmor satte sig i ett rum och kök och hyrde ut rum, vindskontor, slutligen källaren som lagerlokal. Huset förföll och hon hade aldrig råd att reparera, när farbror Stig gått bort blev förfallet än värre. Därmed kunde hon aldrig höja hyrorna. Inkomsten gnagdes av inflationen, huset förföll. Mot slutet av månaden var hon pank och levde på vatten och bröd. Hon dolde sitt elände genom att gå till sängs och skylla på förkylning. När ”snycke mennesker” ringde brukade hon hosta konstlat i luren: *ack, elskede ven, jeg er syg!*

På sitt sätt var hon både tapper och stolt.

En orsak till hennes usla ekonomi var jag. Hon lyckades lura en godtrogen bank till en sista inteckning i det fallfärdiga huset och sände mig returbiljett den svåra sommaren 1947. Min far ville inte släppa mig förrän farmor hotade honom med polis. Hon fick mig hem från Manitoba.

I alla sina dårskaper var hon en klok och stark kvinna, när det verkligen gällde.

Hon insåg att den ende, överlevande sonen var hopplöst förlorad. Sonsonen ville hon ändå rädda.

9

De tre herrarna Delblanc var alla mörka, en som ej kände dem frågade efter franskt påbrå eller spanskt. Mörkast var farbror Stig, som också var den kortaste av dem. Han var livlig, språksam, kanske lite inställsam mot farsan och brorsan, fast de ofta kunde blossa upp i vulkaniska gräl. Upp i medelåldern blev han knubbig. Dock, han blev aldrig så gammal.

Han gjorde värnplikten eller var möjligen stamanställd en tid vid Livregementet till häst. I ljusblå uniform och silverhjälm såg han ut som greve Danilo. Han krossade kvinnohjärtan som ägg.

Men vad skulle det bli av honom? Dum var han ingalunda, men studievägen kunde ingen av dessa föräldrar tänka sig. Han sattes i slaktarlära en tid, det bör ha varit farmors uppslag: att karlar är slaktare mindes hon från Kolding. Stig försökte nog, för att behaga sin mor, han var hjälplöst fäst vid henne. Men ingenting ville lyckas helt och fullt, utom jakten på kvinnor.

Min mor avskydde horbocken, naturligt nog.

Han besökte oss ofta på Mölna, ibland hade han påhugg som byggnadssnickare i trakten. Han skröt med att ha förfört alla kvinnor i Trosa. Jag tror honom nästan, han var just så charmfull, företagsam och fräck som en lyckad horkarl bör vara. Nu är Trosa en liten stad, men även om man undantar småflickor och gummor bör antalet kvinnor ha varit ansenligt. När jag någon gång besöker den lilla staden rycker jag till när jag ser en svartmuskig man i min egen ålder – kanske det är en kusin?

Förförarens bragder var i grunden ett tecken på osäkerhet, liksom hans nervösa skratt, hans hårdhänta skämt, hans flödande svada med ett outtömligt förråd av anekdoter, hämtade ur skämtpressen. Hans gyckel kunde vara roligt nog, åtminstone för en pojkes smak. I grunden tydde allt på osäkerhet. Faderns framgång, broderns kraft, moderns makt över kärlekens gåva gjorde honom svag, klenmodig och beroende. Han var en lattjo kille som i tysthet tvivlade på sig själv.

Stig var byggnadssnickare och tydligen ganska skicklig i sitt arbete. Han köpte en tomt i utkanten av Stockholm och byggde ett hus med hjälp av arbetskamrater, så som seden var. Tapetserare, elektriker, rörmokare hjälpte till, avtackades med en enkel fest och fick i sin tur hjälp av honom. Det var ett vanligt bruk. Slumpen ville att staden växte så, att tomten och huset blev värdefulla. För hans son skulle det bli ett arv på ont och gott.

Ingen i familjen var alkoholist, men Stig var kanske en smula festprisse. Han behövde muntra ansikten omkring sig, lyssnare som värdesatte hans berättartalang. Förmodligen bar han på en ångest, som han hade svårt att leva ensam med.

Han sörjde fadern bittert, han saknade brodern som for till Kanada. Han blev allt mer beroende av modern. Han var ett barn.

Efter byggeriet blev han typograf och gick i faderns fotspår. Han gifte sig med en kvinna över sitt stånd och fick en son. Äktenskapet slutade snart med en krasch, jag vet ej varför. Han saknade sin son och grät mycket. När farmor reste på besök hos släkten i Danmark tog han sitt liv.

Han häktade ner takkronan i hallen och fäste rännsnaran i järnkroken. Hans ansenliga kroppstyngd slog upp en spricka i takets gips.

10

Jag hade just inget att göra med Stigs son, min kusin, förrän han kom i vuxen ålder. Han blev då arvtagare till faderns hus och trodde sig förmögen. Pengarna varade inte länge. Han hade svårt att slå sig fram. Mer svensk än sin far var han snar att gripa till flaskan.

När svårigheterna tilltog sökte han kontakt med mig, tydligen var det en far han behövde. En gång kom han farande i taxi från Stockholm till Uppsala. Trots mina valhänta försök att trösta och hjälpa märktes förmodligen min olust: jag hade nog med mitt, jag ville inte bli störd i mitt arbete.

Att jag är egocentriker är en sak. Mitt beteende kanske kan förklaras därmed, att han nästan var ny i mitt liv. Jag kunde inte känna för honom som för mina systrar, de som delat barndomens elände och varit till tröst och hjälp. Varför behövdes jag nu, om jag varit så likgiltig förut?

Men det finns väl inga ursäkter.

Ibland skrev han krälande ödmjuka brev, som till en sträng fader, den fader han saknade bittert. Jag svarade med hurtiga och uppmuntrande ord, i grunden oengagerat och falskt. Jag gav honom pengar, inte särskilt mycket...

Men vem ursäktar jag mig inför? Jag är som syndaren vid Sankte Pers port, som sökte finna några goda gärningar i sitt liv, inträdesbiljetter till paradiset. Han hade givit en blind en enkrona, en lam en enkrona, en änka med åtta barn samma belopp. Sankte Per tyckte det var i minsta laget och tillkallade Vår Herre för att få råd – skulle han släppa in syndaren i paradiset?

Vår Herre funderade länge och fällde slutligen sin dom.

– Ge honom tre kronor och be honom dra åt helvete!

Jag är på god väg.

Min kusin berövade sig livet redan i trettioårsåldern. Han blev inte ens så gammal som sin far.

Ruiner.

11

Arv och miljö... Kan det inte vara arvet efter mor och morfar som håller grymma minnen vid liv, mardrömmarna, skräcken? Men mina halvsyskon, som är av annan stam, känner ju detsamma som jag?

Läsare, om du tröttnar på detta mummel och dessa spasmodiska skrik, vet att jag förstår dig. Om jag utrustats med en smula språklig talang borde den nyttjas till annat än detta: att ännu vid ålderdomens gräns sitta fjättrad vid det förflutnas brunn, blicka ner på dessa osälla, krälande varelser, som förtär sig själva och varandra, mumla, berätta, skrika av smärtsamma minnen.

Vad är det för mening med dessa monotona berättelser om ett meningslöst lidande? Även när jag uppsökte andra landskap än barndomens, var det samma upptåg av träldom, underkastelse, vanmäktigt uppror, skuld och skam, som dansade fram i språkets dimma.

Ordens enda meningsfulla konst – att ge en smula enkel visdom, att göra det lite lättare för människorna att leva, den konsten förmådde jag aldrig behärska. Och tystnadens tid är inne.

Men jag måste återgå till den enda konst jag behärskar – att se ner i tidens brunn, att virrigt berätta, spasmodiskt skrika av minnenas skräck, ännu en tid...

Jag kan ju inte fly från dessa minnen. De är starkare än jag.

Dock ber jag om barmhärtig glömska. Jag ber att tidens pendel måtte stanna.

12

Han mindes länge en ramsa som modern lärde honom.

Borsta tänder,
tvätta händer,
läsa läxan
och tala alltid sant.

Med hygienen fick det hanka sig fram, med läxorna gick det som det kunde. Läsningen och böckerna tjänade bara som flykt undan verkligheten. De moraliska läxor livet bjöd kunde han åhöra förströdd och med tankarna långt borta i mörka huset. Att tala sanning, vad var det? Om det onda i världen kunde han skrika ibland, mestadels försjönk han i modstulen tystnad: vad tjänar det till... Och sanningen om barndomen, dessa minnen som alltid förföljde honom? Det var först för tungt att berätta, måste för andra te sig lögnaktigt och överdrivet, de få som kunde tro och bekräfta försvann av något demoniskt tvång ur hans värld. Hur tala sanning i en värld av missförstånd? Han lekte pajas i sin dikt eller talade i gåtor, vågade inte vara öppen och grämde sig ändå över att inte förstås. Även de som borde förstå såg honom med ovilja och vägrade begripa – ändå var språket hans redskap!

Varför ville mardrömmarna aldrig upphöra?

Varför var sanningen så svår?

En sanning kunde han dock aldrig förneka – att det trots allt fanns ett blommande träd i mörka skogen.

Modern som sökte hjälpa honom, fast hon själv bar så tunga bördor. Systrarna som alltid hade en öppen famn och ett vänligt ord för lillebror. Till livets slut skulle han minnas dem med tacksamhet och kärlek: den sanningen måste uttalas också i missförståndens helvetiska värld. De hade hjälpt honom att överleva, vad sedan hans liv var värt.

Blommande grenar hade de varit på det givande trädet i livets skog.

Bondeåret

1

Vintermörkret är ännu tätt när han vaknar, månen står död som en skiva skurat tenn, mot svartblå himmel lyser Orions bälte och Karlavagnen. Den avlövade asken vid gaveln rör sina kala grenar för en isig vind, kanske är det Guds andedräkt, den mordiska Gud som är starkare än allt.

Han vaknar som vanligt i urinvåta lakan, och hans tankar viner ut som fladdermöss för att utröna var fadern finns – om han är ute i stallet kan sonen gå upp med någorlunda trygghet. Lugnast är, om modern och systrarna finns i köket, de är själva plågade av fadern men kan bilda en mjuk försvarsvall kring pojken och vara honom till hjälp. Men ofta är modern i lagården för att mjölka, kanske också systrarna, om de inte är på väg till sina skolor. Då är han ensam och värnlös och lyssnar efter de tunga stegen med skräck.

På bordskanten står välling, som redan har skinnat sig, jämte skivat bröd, det är husets frukost. Föräldrarna kanske värmer och stärker sig med det lankiga kaffet, innan dagens arbete börjar i lagård och stall.

Dit måste nu pojken bege sig med en fotogenlykta i handen,

dess gula reflexer dansar över snön, och hans skugga vacklar jättelik över västflygelns ljusa rappning. Han göms i en gul glob av människoskapad trygghet, trygghet så länge det varar.

Han går en uppförsbacke mot stallet, framför dess dubbeldörrar ligger vedplatsen med flisig huggkubbe under en skyhög, svartskorvig björk. Ur stallets öppnade dörr tränger ljuset, värmen, lukten av havre, ammoniak, varma kroppar.

Fadern har redan vattnat, fodrat, ryktat hästarna, de doppar mularna i krubborna med fnysande näsborrar. Pojken pratar med dem för att de ska veta var han finns, att han inte är farlig. Han har en gång blivit illa sparkad av en uppskrämd märr, när han gick tyst i tankar och inte varnade. Hästarna höjer huvudet, spetsar öronen och lyssnar. Så börjar de äta på nytt, pojken skrämmer dem inte som husbond. Ryktskrapor och borstar ligger ludna på havrelåren. I väggen är en skrubb med brits och hästfilt, där kan fadern sova när en märr ska föla. Där sover också de fåtaliga luffare, som ännu vandrar bygden kring. De är medelålders eller skröpliga män, som går landsvägen av gammal vana. Den börjar annars blir för stor och hårt trafikerad för vandringsmännens smak. De arbetslösas skara har glesnat med de goda tiderna, de som ännu går är vaneluffare och filosofer. De avvisas sällan men ses med misstro.

I lagården ångar en annan och fränare lukt än i stallet. Modern sitter med pannan lutad mot en rödbrokig flank, mjölken fräser i hinkens blommiga skum. Fadern mockar ut mellan djuren, hans skovel skrapar hårt mot cementen. Om han inte talar för sig själv och grälar på sina osynliga fiender kan man vara någorlunda lugn.

Pojkens uppgift är att lassa en skottkärra med mullrande hjul av gjutjärn, köra ut den och tömma den på dyngstacken: det är drygt arbete. Genom de öppnade dörrarna virvlar kölden in som vinterns andedräkt. Modern silar mjölken, fadern återvänder till hästarna, oron söker honom nu, han har åter börjat tala för sig själv. Från stallet hörs hästarna slå i spiltorna.

Men pojken har gjort sitt och kan gå hem. Dagen ljusnar långsamt denna mörka tid. Det stora päronträdet står svart som gjutjärn mot tenn. Stjärnorna bleknar.

Vägarna på gården är snöröjda med den gamla silveroxiderade träplogen. Det hör till pojkens uppgifter att tynga ner baklämmen medan fadern svärjande halvspringer bredvid hästarna med tömmar i mulvanten. Under krigets stora snövintrar måste de ut på landsvägen, där också enbuskar och gransly sätts upp för att markera dikena.

Vedstapeln liknar en bikupa, medtagen och söndrig redan, björken invid står med muddar av snö och vit peruk. Andedräkten virvlar. I snön myllrar kilskriftsspår efter vinterns fåglar som söker sin föda i stallbackens gödsel. En häst som rastas av fadern lyfter svansen av skräck och släpper en hög spillning, som ryker i kölden. Svarta och käringgrå kråkor samlas och grälar hest.

Spår av slädar och skidor går fram som glaserat porslin. Ännu brukas enstaka kappslädar på resor gårdarna emellan, med bukig patron under fäll och påpälsad kusk på tagelstoppat säte där bak. Ännu går enstaka risslor till skogs för att hämta hö ur förfallande lador, gungande mellan drivorna som jollar i hög sjö. De blir dock allt färre. Stora landsvägen saltas och skrapas, slädar får svårt att ta sig fram. Dock vaggar timmerslädarna fram ur skogen med kätting kring midjan, timmer mer till husbehov än till avsalu – skogen är klen.

Köket är en värld av värme och trygghet, åtminstone om modern är där. De lever mest i köket om vintern, här kan man hålla värmen och samlas kring bordets nötta vaxduk med handarbete och läxböcker, annan läsning ser fadern med ovilja. Salen mot norr står kylig vintertid, hur man än eldar i den vita kakelugnen. Kanske är det därför julgranen står sig till påska. Den är prydd med de tyska delstaternas flaggor i girlander, därtill med flinande tomtar och förgyllda kottar av sköraste glas. I granen hänger också väldiga pepparkaksgubbar, som föreställer familjens medlemmar, de är hårda först men mjuknar med tiden och stympas allt mer av pojkens begär. Granen står grön till fastlagen och utsätts aldrig för plundring, umgänget är glest i det mörka huset, barnkalas okända. Till Tjugondedag Knut fick dock pojken Nygårds-inspektorns Mari på besök och underhöll henne efter förmåga med bilderböcker av Doré, som är gåvor av farfar. Där är Infernos nedersta krets, förklarar han för Mari, och där är Gehennas brinnande dal.

Mari beskådar allt detta med förfäran och kommer aldrig mer tillbaka. Pojken förundrar sig. Sådan är ju verkligheten beskaffad? Inferno, Gehenna, på pricken! Vad är det att hymla om?

En vanlig vinterdag har pojken få arbetsuppgifter av vikt. Han bär in ved, kanske sågar han och hugger upp ett fång, fast han ofta gör sig illa på eggjärn, blöder och kommer vrålande hem, går alltid med tutor och bandage: i vuxen ålder är han ärrig så läkare förundrar sig. Veden staplar han i kökets lår och ges ibland förtroendet att göra eld i kakelugnar: först stickor och näver, så tunnare vedpinnar, sedan allt grövre. Han bränner sig och skriker om han törs.

Att vara ute och leka går an om vädret är någorlunda, men under krigsårens stränga kyla kan han gripas av djurisk skräck, kölden förnimmer han som livshotande och måste söka sig inomhus. Han har ofta blåskatarr och blodar ner sängen under nattens skräckdrömmar om fadern, då han alltid väter ner sig. Modern bäddar förgäves med gummilakan, madrassen ruttnar och stinker.

Middagen är en riktig middag, som äts mitt på dagen. Ljuset

är tveksamt och grått, en solstråle kan lysa igenom på prov, för att se efter. Skuggorna blånar och drivorna gnistrar i rosa och turkos. Nej, det är inte tid ännu. Solen resignerar och drar sig tillbaka, i kallt, citrongult ljus.

Middagen är tung, en kraftig spis som bara hårt arbetande kroppar kan smälta. Modern har hämtat fläsk ur en tina i västra flygelns visthusbod, det steker hon och serverar med skalpotatis och gult flott, stundom löksås. De dricker oskummad mjölk eller svagdricka, som köps i femlitersflaskor i träkagge. Att fadern unnar sig en riktig pilsner från Handlarns butik är en lyx som modern ogärna ser. De äter hennes hembakade rågbröd och slutar med saftkräm eller oftast äppelmos med mjölk. Trädgårdens rikedom ger mer mos än de orkar förtära. Mot årets slut börjar det jäsa och ger en rusande verkan. Pojken fnissar över det söta grumset och hutas åt av fadern.

Modern övervakar måltiden och sitter inte med. Däri ligger inget förnedrande för hennes kvinnliga värdighet, tvärtom. Hon är värdinna, detta rum är hennes domän. Skräck och fruktan kan omge fadern, ändå mottar han undergivet en tillsägelse att ta av snörkängor och stövlar eller åtminstone torka sig om fötterna. Därtill är han blid av stekoset, fläsk värderar han högt. Han rapar vällustigt åt maten, han har djurens ogenerade fason att visa sitt välbehag. Döttrarna sitter stela av ogillande, de vet bättre vad gott bordsskick vill säga.

Om inte pojken kan sticka sig undan i ett hörn blir han nu beordrad att följa fadern till snickarboden, där de reparerar verktyg och fordon. En timmersläde får nya beslag, en hötjuga skäftas om, en strävplanka till höskrindan hyvlas. Om humöret är gott kan det nästan bli trivsamt. Lukten av hyvelspån och linolja är vänlig.

Ljuset faller tidigt. Säkrast för pojken är ändå att skylla på kakelugnarna, som ska fyllas och underhållas. De har dubbla luckor, av svart järn och gul mässing, där innanför brinner den eld som snart ska tyna till glöd.

Han kan dröja i timmar framför kakelugnens lucka, som att se ut genom en glugg mot land som är avlägset land. Den brinnande veden blir en borgstad av gyllene kol. När glöden falnar växer ett grått grenverk över stadens tinnar och torn, vidgas, växer, snart rasar borgen med ett klingande ljud, över den sista glöden växer fjunig aska. Det är brinnande städer och borgar han ser, men samtidigt någonting annat, ja, genom gluggen anar han en ordning bortom människans. Värmen strålar först som en glödande plogbill i smedjan men avtar snart, han fryser om ryggen medan det hettar i kinderna. Mörkret faller därute, fönstrens kvadrater vandlas från grått till svart.

Bäst är att se på kakelugnens glöd under tillfrisknandets långa tider, då man svävar i ett tillstånd som är ett emellan, ett vara som är varken kraft eller ohälsa. Vintern är ofta sjukdomarnas tid, med förkylning, örsprång, blåskatarr, förutom den brokiga processionen av vanliga barnsjukdomar, kikhosta, mässling, vattkoppor, påssjuka. Hur många barn har mor, var frågan förr, och svaret ofta – sju, men fyra i livet! Det är ovanligt nu, när barn allt oftare överlever krämpor och vårvinter. Som alla ungar i Vagnhärad har han stuckits mot smittkoppor i Turisthotellets festsal, det var en hisnande högtidlig dag, av många motsedd med bävan. Att ständigt glödgas och vitprickas som en flugsvamp av alla feberheta barnsjukdomar hör dock ordningen till. Bara man inte får sot eller lungpaj, sånt dör man av.

Man brinner av feber och ser röda gastar och gula flammor, syner som är olika vardagens mardrömmar. Fadern håller sig undan, modern kommer med saft, systrarna är snällare än vanligt. Så kommer den dag då sjukdomen vänder, man är febrig ännu men anar hälsan som en sval och avlägset blånande kust. Dag för dag kommer krafterna tillbaka, som droppvis en uttorkad brunn kan fyllas av levande vatten. Feberslöjan faller, ljuset blir ett annat ljus, avstånden vidare, blicken söker sig djupare in i himlen. Världen har verkat avlägsen och slöjad, nu är den åter nära och förtrogen. Vi vill ha dig tillbaka nu, säger verkligheten. Nu vill vi åter finnas för dig, ej blott för de friska. I brunnen av torr vanmakt droppar livsmod och förtröstan. Naturen har åter öppnat sin modersfamn.

Februari. Snötäcket är djupt, de vilda djuren hungrar. Vita harar kommer fram om natten för att gnaga av fruktträden, fasanerna äter frusna kastanjer och skriker som hesa trumpeter. Rådjur blir synliga som aldrig om sommaren, kommer du alltför nära svinner de som drömmar eller sjunker i snön och fastnar med bakkroppen, med ett generat uttryck, som överraskade ungflickor, kämpar sig mödosamt upp och flyr.

På släde eller vagn, allt efter föret, körs dyngan ut på åkrarna. Det är nu torrdasset töms, även folkskit kommer till nytta. Vårt dass kallas Bellman efter en reproduktion av Per Kraffts porträtt, som hänger där inne. Den enkla förrättningen kallas att ”gå på Bellman”, för pojken är det en tillflykt för hemlig läsning. Hål av växlande storlek på den blanknötta fjölen, för fönstergluggen en prydlig trådgardin, för påkommande behov finns lokalpress och Åhlén & Holms katalog. Det är ett herrskapligt prevete, som vi besitter med stolthet. Innehållet i tunnan har kommit av jorden och återvänder till jorden i den stora kretsgång vari vi lever.

Dyngan körs ut och stackas på fälten i avlånga dösar. De är leverbruna och ryker, de omges av ett vingfladdrande myller av skriande fåglar, innan nästa snöfall lägger sin spetsduk över. Vi sitter med ryggen mot stackens varma läsida, äter ur korgar, dricker kaffe ur strumpklädda literflaskor, säger att det vart drygt i dag. Jag härmar de vuxna männen, som äter av vita brödskivor i hårda händer. Dyngstacken är först brun som ockra och terra, sen grå och svart. Det som är alltför starkt i djurs och människors dynga blir milt av regn och luft. Dösen strimmas av ströhalm i gult, sedan täcker snön.

Lukten av gödsel är stark men aldrig giftig och sjuk, även detta ingår i kretsloppet och anammas av naturens liv. När dösen är lagd ser bonden mot himlen och säger att snart är det kväller. Att ha klocka är ännu sällsynt, men vi ser sol och ljus med huden, anar tiden som vilda djur.

Kölden kommer med mörkret, februaris arbetsdagar är korta. Hästarnas andedräkt virvlar vit när dyngflak körs hem, linjerande vit snö med svarta hjulspår; det är kväller.

Men dagarna förlänges, det är redan mars. När pojken vaknar träder fönstret fram i grått, dess ludna isbeläggning sjunker var dag på rutan. Mölna har dubbelfönster med vadd emellan, om husmor orkar kan det vita luddet beströs med glitter och röda rönnbär till prydnad.

Dagarna förlänges, vid middagstid värmer solen en smula, det är menföre. Från takskägget stupar istappars mångförgrenade gotiska masverk, på sydsidan börjar de droppa hål i snön som man naggar en vetekaka. Mot natten fryser de till gult glas.

På hårt befarna vägar och stigar smälter snön och blir lerig modd, med djupa spår efter pjäxor och vagnshjul. Till natten fryser spåren på nytt och täcks med senvinterns gråa, dammiga is, den klirrar som fönsterrutor för skolbarnens steg.

Snön sjunker undan på åkrarna, en dag träder tiltorna fram som ett halster. Mellan dem ligger smältvatten middagstid och speglar solen i gult.

Alarnas kronor tätnar där de böjs över ån, ser man närmare efter har knopparna börjat blåna, björkridån i skogen skiftar i violett. I solnedgången är solen smärtsamt röd mellan trädens galler, röd som längtan bort.

Det börjar bli kramsnö, och barnen kastar snöboll och bygger snögubbar, som bockar sig ödmjukt för dagsmejan. Pojken gör en snölykta och sätter en ljusstump under dess valv. I nattmörkret darrar kupolen i sitt galler av ljus och ger honom en aning om en annan ordning, om land som är avlägset land. Om detta kan han inte berätta för någon. Inte ens hans närmaste vill förstå, han kan inte meddela sig utan att väcka undran eller förtret.

Istäkten är värst under denna tid. De måste ha is för att kyla mjölken, sågspån ligger redan väntande i en gulgrå dös. De far till sjön Sillen, vars snötäcke blåst bort eller tärts av solen: isen är dock ännu bärig och tjock. Runt stranden står alarnas svarta skelett och fjolårsvassen gul som mogen råg. Isen styckas med stocksåg och lassas med mellanlägg av säckväv, för att inte frysa samman. I hålet skvalpar det kalla vattnet blåsvart, det är omöjligt att inte väta ner sig, kläderna blir som isbark. Man kommer huttrande hem och kölddöden nära.

När pojken hämtar potatis i källaren med den trygga, jordiga lukten, ser han vårens första groddar, bleka som sparris, violetta i spetsarna. Groddarna trevar sig blinda mot ljuset från dörr och ventil, söker efter liv. Men potatisen börjar bli gubbig och skrynklig, en och annan har frusit, så fadern svär vid matbordet och grymtar om satans hästlort.

Men ljuset stiger. Mot slutet av månaden får man höra den första lärkan. På husets sydsida kan man skönja den späda grönskan, nässlorna är som vanligt först och plockas till soppa. Fläsket i tinan har gulnat.

Nu kommer skatorna skrikande och bygger om sitt bo i det stora päronträdet, lappar och lagar med kvistar. Pojken vet att de samlat skatter i det väldiga boet, de är tjuvaktiga och svaga för glitter, säkert har de stulit den kaffesked av silver, som modern saknar. När ett skatbo på norrsidan revs av stormen fann han en sliten enkrona med Oscar II:s profil av ädel enfald och stilla storhet. Han hoppas ibland att skatorna ska ge honom skatter till hjälp att köpa sig tågbiljett för att fly från hemmet.

När han ser två skator vänligt tjattrande bygga i sämja undrar han över att fåglar och vilda djur kan leva bättre samman än familjen på Mölna.

2

Våren kommer, ljuset växer var dag. För familjen på Mölna är knappast vårblommor, växtlighet, sångfåglar de säkraste tecknen på en ny årstid. Vår är att första gången släppa ut djuren, se kvigorna skumpa och skällkon skaka på huvudet med skrall från sin klanglösa klocka. Det är att se hästarna utomhus, när de rullar sig i gräset, mer för att lindra klådan på ryggen än som uttryck för livslust. Djur i frihet, och det första gröna betet, som gör mjölken gul och fet.

För modern kommer nu den stora apriltvätten, som slår applåd från klädstrecken i vårens blåst. Två gånger om året tvättar hon i bykstugan vid ån och bultar lakan vid klappbryggan. Sällsynta stortvättar kräver ett stort linneförråd, som är bondkvinnans heder. Ur det rena linnet stiger den doft som ger en andakt friskare än allt.

Vi äter de sista äpplena nu och är hänvisade till mos och möglig sylt, som ska räcka ännu en tid. Var afton äter vi rågmjölsgröt med sylt, som alla arbetande människor i bygden. Men sylten har möglat, fläsket i tinan har härsknat, ur träkaret kommer en elak lukt. Det börjar bli nödigt med färskmat.

Pojkarna drömmer om att bidra till hushållet. Deras stora vårtecken är Kristi Himmelsfärd, en högtid vars religiösa innebörd de blott dunkelt känner. För dem är det den tid då de tillåtes börja med fisket. Mest kommer de hem med usla braxenpankor, som mödrarna högljutt berömmer, sedan ger åt katten. De mer försigkomna söker sig upp mot Sillens sjö för att ta den gädda, som bevisar deras manliga duglighet att dra mat i huset. De skrävlar med kommande fiskarbragder, medan de äter skälvande, gul kalvdans med sylt. Mödrarna ler i mjugg och tänker, att kornas råmjölk ger starkare livskraft om våren än skräpfisk ur sjön.

Vid Sillen ligger Lövsta uppfostringsanstalt, som pojkarna bara med halvhöga röster vågar omtala. Det hör till att föräldrarna hotar dem för odygd med fångenskap bak dess galler och nät. På Lövsta piskas man gul och blå. De vanartiga sticker ut tatuerade händer genom gallret för att tigga. Har de tur kan de komma till sjöss, annars blir de fastsmidda på fästning för livet.

I Sillen sätter man ryssjor, mjärdar, ståndkrok för gädda, men ingen kan mäta sig med de riktiga yrkesfiskarna. Dessa män eller deras fäder har en gång varit torpare under Sund och Sörby och Vappersta, och de har gjort sin dagsverksskyldighet med att avlämna fisk, helst den fina gösen, till grättna herrgårdskök. De har fortsatt av gamla vanan och far ibland runt på cykel med fisk i en låda på pakethållaren. För de flesta är gösen för dyr, kanske köper man ibland en träig kokgädda att äta med pepparrot, som växer vilt på tomten. Men fadern är ingen vän av fisk, och hans vilja råder. För bönder och arbetare är det strömmingen som är vardagsmat, den körs runt från Trosa i en liten grön lastbil och är billig föda. Annars äter man stekt islandssill från Handlarns butik, läckert knaperstekt men i saltaste laget för barn. Kärnmjölk och svagdricka flödar.

När vårfloden lagt sig samlas småpojkarna på träbron vid Handlarns butik i det fåfänga hoppet att fånga en abborre. Lummiga alar slår sina valv över den vitbubbliga strömmen. En hästskjuts far över med dundrande hjul, det ger något att tala om. Man betros att handla ibland, med en silverkrona i näsduk eller vante, ett mynt av bergfint silver, som kan köpa allt i butiken. En femöring med gammelkungens lyrformade monogram ger en stor strut karameller, även en tvåöring fyller handen med snask eller fyra kolor.

Och pojken hittar på en osynlig lekkamrat, som han kallar Tok-Harry. Han är galen, men inte så det är farligt. Dock är han så underlig och sär, att han drar blickarna från pojken, drar åt sig kamraternas drift och familjens undran och avsky: han är galnare än jag.

Men det finns ingen Tok-Harry i det som kallas för verkligheten, där finns bara den gemytlige Handlarn och hans rundnätte son Rulle. Av Rulle får pojken en riddarborg av papp, som är gjord efter Allers Familje-Journal. Det är en dyrbar gåva, som snart förfars. Pojken ställer den i kakelugnen för att se ljuset genom dess fönster. Borgen brinner upp, så är det nöjet förbi. Han har dålig hand med verkligheten.

Ljuset vidgas, våren välver sin himmelskupa allt högre, världen växer var dag. På sydsidan av en sten blommar blåsippor i skiftande färger från rött till glanslöst blått, de är som gaslågor lysande ur jorden. Barnen plockar de blå anemonerna till gåva åt skolfröken.

Citronfjäril och rostig nässelfjäril syns redan virvla i byig luft, de är vårens tecken. En ny konsert av ljud börjar stämma sina felor, skogsduvan korrar sorgset i skogen och uven hoar ur sin djupa brunn. När skymningen faller kring mjölkpallen låter göken höra sitt fjärran anrop från land som är avlägset land.

Tranor och gäss drar förbi över himlen, med hesa skrik eller läten som violoncellers tremulo. Fasanerna parar sig, svalorna pilar svarta förbi för att mura sina lergrå bon.

Men det är inte mycket av växternas och djurens liv som tränger in i böndernas tankevärld. Djur som gav förebud och tecken minns de ännu, blommor och örter som gav hälsa och liv erinrar sig några av de gamla. Det mesta är ogräs och kratt, finast är superfosfat.

Modern bakar, och pojken skickas med smakbröd till ett par gamlingar i ett torp. Gubben är mager, klädd i grå sticktröja och kommissbyxor med smala, gula revärer. Han nickar åt pojken men försjunker i sina tankar på nytt, gumman är vänlig och trugar med lingonsaft. Skymningen faller sakta. Det finns en stillhet i detta hem, den lenar och svalkar som salva på den eviga skräcken. Broderade bonader, moraklocka, kryddburkar, trasmattor, ett oljetryck av Skyddsängeln. Som det brukas. Ändå en stark förnimmelse av trygghet, fromhet, godhet. Gumman är snäll och lovprisar smaklimpan. Gubben är sannolikt försjunken i samtal med Gud, kanske är han en av de få som kan komma till tals med Vår Herre. Gud är starkare än vi, men kanske låter han tala med sig? Gubben tycks lyssna på moraklockan – är det i ljudet av tid som Gud låter sig höras?

Snart är de spårlöst borta, i graven eller på ålderdomshem, själva stugan är jämnad med marken. Han minns dem ändå och kallar dem Abraham och Karolina. En så from man måste heta Abraham. En så snäll gumma måste vara släkt med Agnes Karolina, ja av henne har väninnan fått namn.

Men tänkte gubben på Gud i sin inåtvända tystnad? Kanske tänkte han på sin gikt. Kanske är gamlingarna bara andar i en dröm om stillhet och frid, kanske har de aldrig funnits. Stillheten är bara en dröm, Abraham och Karolina är bara namn. Agnes Karolina finns inte i verkligheten.

Han försöker rita av dem på påspapper, men som vanligt blir det bara skräckbilder.

Världen växer, ljuset stiger. Fadern går i vårbruket, och pojken springer med kaffekorgar när han inte hjälper till. Harven drar rullande härvor av vit kvickrot ur jorden. Ringvälten är lastad med sten, även pojken får åka med och tynga ner.

Slutligen måste potatisen i jorden, nu ska alla vara med. Ur de bruna knölarna kommer överlevnad och vinterns trygghet. I regnigt väder blir händerna sprickiga och såra.

Markerna söder om skogen har lagts i betesvall, till den behöver fadern en källa för att vattna korna. Han går med slagruta i en skogsslänt, i lag med en granne, de undrar lågmält var ådern kan ligga. Pojken ser med förvåning klykan vika sig till en märlas form i männens händer: här går källan fram. De gräver och får gott vatten. Synen av slagrutan är underlig och ovanlig men alls inte skrämmande. De två bönderna är nyktra män som inte bryr sig om övertro. Att gå med slagruta är dock ett bruk de inte kan umbära.

3

När granarna i skogen sätter sina lindblomsgröna skott är våren förbi och sommaren inne. Nätterna är ljusa nu, myggen inar kring den blommande häggen. En morgon står trädgården full av tankfulla andeväsen. Det är äppelträden som blommar.

Den första åskan skakar sin blåa bakplåt, blixtarna snärtar med gyllene gissel.

Korna bryter sig ut och äter av våt klöver, de blir därav väderstinna och får tjärade spån i halsen för att rapa. I värsta fall måste de stickas i våmmen, så fuktig gas pruttar ut, och halvsmält klöver, snarlik stuvad spenat. Men det är ett vådligt ingrepp, som pojken aldrig betros.

Syrenerna blommar och gungar på grenarna som blåa fåglar, kring huset börjar trädgårdens blomstring ta vid, det lilla som är av ringblommor, krasse, rudbeckia. Snöbären står med vita och röda blommor. Erik ger kanske ett enstaka ax i höstrågen, mer ovisst är om Olof ger kaka. Höstvetet dröjer ännu, men slåttern står redan för dörren.

Inför höskörden måste eggjärn skärpas vid den gamla slipstenen, som står till knäna i hundloka, nässlor och kärs. Skivan roterar i ett tråg med vatten över en bottensats gråröd slipmassa. Slåttermaskinens kniv ska skärpas, som tandgarnityret på en haj av stål. Därpå är det dags för liebladen, även några yxor och bilor och knivar kommer med, när nu pojken är på plats och drar veven. Själv behärskar han inte den svåra konsten och kan knappt dra en brynsten utan att skära sig: han är valhänt i verkligheten.

Dock kan han hjälpligt hantera en lie, och han går med fadern över dikesrenen om tiden och väderleken medger. Den skarpa eggen kan klyva en snok eller åkersork, ibland skrämma upp en lärka, som lodrätt kastar sig upp i himlens tillflykt av sång.

När renen ligger fri kan slåttermaskinen börja sin knattrande framfart, hässjorna byggs med stör och ståltråd, och pojken får pröva det tunga arbetet att köra en släpräfsa, det är drägligt i torrtid men drygt när höet är vått. Hässjorna lassas och står som puckelryggiga jakar, först gulgröna, sedan filtgrå, omvärvda av jordens starka kryddlukt. I juninattens blekgröna ljus doftar de av magi. Män söker sig kvinnor nu, dansbanan öppnas för året, kärleken blommar, livet är starkt.

Korna går på skogen men söker sig självmant till stängslet för att mjölkas, juvren sväller och droppar av gul mjölk. Flaskorna trängs på mjölkpallen, mejeriet kärnar och ystar. Barnen äter smultron kring taggiga vindfällen, det är snart dags att plocka blåbär.

Skogen är aväten och korna drivs till myrmarken söder om Djupdal, som söker sitt avlopp i ån genom en bäck, djup som en vallgrav. I myren kan myggplågan bli så svår, att korna står gråludna som älgar, förslöade av insekternas gift. Pojken söker driva dem hem, men faller över en taggtråd och kommer skrikande hem. Modern tömmer blodet ur hans stövel och lägger plåster på.

Han lever i en värld av eggjärn och vassa vådor. Vid hönshuset kör han en dynggrep genom foten och naglar sig fast. Delblanc intresserar sig för såret, kokar ur det med vätesuperoxid och rensar efter med jod. Det gör gnistrande ont, men skräcken för fadern får honom att tiga och le.

På lediga stunder springer han med barnen ur hus i hus, i alla kök får de vänliga eller åtminstone nyfikna frågor av husmor och undfägnas med bullar eller knäckebrödsskivor med margarin, hos dom som har det knapert. Varför smakar andra mammors mackor bättre? Det är sant, på Mölna börjar mjölet bli unket, fläsket härsket, färskmat av nöden. Men det är ännu för tidigt att pröva nypotatis.

Men hönsen hade börjat lägga ägg med flit, och pannkakan blev gul och smaklig till det eviga äppelmoset. En sällsynt läckerhet är kokhönset, ett magert och utvärpt fjäderfä, som äts med persilja efter ett ändlöst långkok. Kokhöns var söndagsmat och moderns lukulliska triumf. På gamla dar försökte hon anrätta broiler på samma sätt, fick i grytan en smetig frikassé och grät.

Men de levde på husets produkter och köpte bara specerier hos Handlarn, gryn, socker, salt, kaffe och tuggtobak till fadern, som lärt sig denna billiga last under nödåren i Kanada. Tobaksflätan fördes i plåtdosa med märket "Sweetscent", fadern vände sig höviskt bort när han la in och spottade sedan brunt, medan modern mörknade av harm.

Barn överallt, ett ändlöst myller av barn. I dessa hårt verksamma människors liv borde de löpa försummade, men levde som i en stor familj, alla kände alla, om inte fick en kortfattad fråga ge besked: "Vems pojke är du? Jaså, Svenskamerikanarns." De sattes i arbete eller flydde till leken, de snodde sig in i kök och tiggde sirapsgås eller bulle, de svärmade kring bönder och lantarbetare när de drack kaffe på dikesrenen och fick ett vänligt ord och en sockerbit. Vems unge är du? De var allas ungar. I denna värld kände de trygghet och fick vänlig omvårdnad av alla vuxna, för pojken var det konstigt att skräcken bara bodde därhemma.

De smet från sina plikter för att meta braxen och glöta i ån, de badade tills de var skrynkliga och blå av köld. Men arbete var ej alltid förhatligt. Man växte in i mannens roll, i kvinnans roll. Han gör redan goda dagsverken. Hon kan redan fålla en duk och sätta en deg. Det gav stolthet och självkänsla. Det roade pojken att se hur kamraterna tog efter sina fäder i kroppens rörelser och åtbörder, vilade på spaden som fadern, snöt sig i näven som han, hur flickorna anturade sig som sina mödrar, satte knytnäven i sidan eller fäste förklädet med samma yviga rosett.

Ibland en härmning som han förstod var fel. Lisa, en blek och darrande liten flicka, lika skrämd som han, ville prompt leka giftas med honom, det var retligt att leka med flickor, men det fick gå, han kände ett medlidande med henne som var plågsamt.

– Nu får du kaffe, sa hon och gav honom en brygd på skräppans bruna frön.

– Vad ska jag göra sen?

– Sen åker du på bruket och får lön.

– Sen då?

– Sen kommer du hem och är full, sa hon, med ömhet. Hennes huvud skalv. Detta var vad giftas hon kände till och kunde leka, hon kände ingenting annat. Att få stryk av en karl som kom hem och var full var bättre än inget giftas alls. Hon låg på knä i ribbstickade strumpor och månade om pojken med ömhet. Hon bar rött hårband och blårandigt förkläde. Liksom pojken kissade hon ofta på sig och var smädad för det. Hennes huvud skalv. Hans medkänsla ville slå över i raseri, han var tvungen att fly. De var två skrämda barn, som inte kunde trösta varandra.

Han kunde inte hjälpa flickan med att leka full, han visste inte hur man betedde sig. Fadern var en nykter man.

– Om han åtminstone drack, hörde han modern säga en gång. Fyllbultar kan ju va snälla ibland!

Pojken var tvungen att fly, han gick ensam på skogen, lyssnade på skogsduva, trast och uv, såg kådan pressas ur tallarna av den tryckande värmen. Gölen torkade ut, i skuggan växte odon och svartblanka blåbär, doften av skvattram var stark. Han kom hem med besked – nu var det tid att plocka blåbär, nu är sommarens stora helgdagar inne.

Sedan är det dags för hallonen i trädgården, och syltgrytan står doftande på spisen. Åkrarna gulnar, värmen är stark, vattnet i ån är kroppsvarmt.

Till spannmålsskörden måste de ha hjälp i arbetet, för två kronor om dagen och maten. Fullvärdiga karlar är nu svåra att leja, det blir ofta kvinnor och gammalt folk. Nu kräver moderns heder att hon bjuder på finmat, kalops, kokt kött med dillsås eller pepparrot, saftkräm och hallonkräm, körsbärssoppa med skorpor. Hennes heder kräver att man äter med god aptit och lovprisar maten. Kvinnorna berömmer visserligen allt, men deras lovord kan ha nyanser och betoningar, de sticker som hullingar i självkänslan.

Något av dessa förkrigsår har de en judisk flykting från Tyskland till hjälp, kanske är han anvisad av Överheten. Fadern tilltalar honom på sin vackra tyska, den mörke mannen svarar munvigt men ber att få tala svenska, han måste lära sig snart. Första dagen är han svulten och förvånar dem med att äta fem fläskkotletter: mosaiker är han inte och kräver ej kosher på bordet. Han är intellektuell, snabb i ord och tanke. Arbetet går avigt för honom till en början, men han lär sig snabbt. Han förvånar pojken med ett skriande etikettsbrott: när den glappa dörren går upp av sig själv reser han sig för att stänga. Men detta vore egentligen moderns uppgift, som man är han gäst på moderns revir. Men han lyder sina egna lagar. Fadern ser honom med motvillig respekt – klyftig karl!

Höstråg och därpå höstvete skärs med självbindare och torkas på krakstör. Torkvädret är gott, och fulla lass vaggar hem till logen. Pojken packar kärvar tills han får känning av bråck. Fadern gnuggar ett ax och biter i kornen, svär eller grymtar förnöjd över årets skörd.

4

Dagarna blir kortare, värmen avtar, dimman stiger ur markerna om kvällen. Sommargästerna i torpen, "stockholmarna", börjar småningom flytta hem, till allmän lättnad. De drar pengar till bygden men förvrider huvudet på de unga.

Korna går vilse i skogen och kommer ovilligt åter, stirriga, med halvtomma juver: nu är de berusade av svamp. De ädla fungusaromerna verkar som narkotika, de irrar milsvitt omkring i skogarna för att söka det fina giftet och kommer magra tillbaka. Men det är svårt att nu redan ställa dem på bås, åtminstone om höskörden varit klen. Den ynkliga mjölkskvätt de ger kan ibland ha utsökt doft. Svamp är dock en ringaktad föda i bondevärlden.

På jakt i skogen efter kor får man stänkiga grenar i ansiktet och blir stående inför ett silvrigt spindelnät. En söndrig fjäril är på väg mot intet, på kvällen ser man sin andedräkt, hösten är inne.

Plommonens gyllenröda tid av vällust är förbi, augustipäron har ätits och givits till svinen: det utgör en fadd och föraktad föda. Äpplen kokas till mos eller plockas till vinterförvaring. Pojken sätts att bära in ved till aftonbrasor. Åkrarnas stubb blir glanslöst gul över den svarta jorden. Det är för kallt att bada, rönnarna rodnar av bär, överallt börjar tröskverken brumma och tjuta i sin ryckiga sång mellan bas och diskant.

Fadern har börjat med höstbruket, barn och kvinnor gruvar sig redan över potatistäkten. Den första nattfrosten har förvandlat blasten till gult slem. När plogen vänder upp de gula knölarna faller alltid septembers kallaste regn. Färskpotatis sommartid är en läckerhet för herrskapsfolk, i bondejord ska potäterna växa sig grova och rika på stärkelse innan de grävs fram ur jorden med röda, såriga händer. Jutesäckarnas sträva tyg kändes obehagligt i händerna. Småpotatis sorteras åsido och hälles i bykgryta utomhus för att kokas till svinen. Fadern vill ha feta slaktdjur i god tid före november.

Efter trösk och potatistäkt är det dags för höstens stora varmbad. De har tvättat sig i ån, ibland rivit av sig i en zinkbalja i köket. Nu kommer storbadet i bykstugan, där pannan kokas upp och träkaren fylls. Pojken glöder av renlighet och underkastar sig som en darrande tacka när fadern klipper honom efteråt – så fan han offrar slantar på frisören! Pojken tiger och lider. Kanske är det priset värt – vid finkamning i skolklassen befinnes han fri från ohyra.

Sommaren igenom har han som alla andra pojkar gått barfota, och hans fotsulor är som läder. Nu tvingar man på honom kängor till hösten, det känns främmande och obehagligt som grimma och klav. Han har sprungit i stubbåkrar, tistelsnår och singel utan men, men skorna är en grym tortyr.

Men den som börjar skolan måste ha skor. Ännu är det inte tid, men han måste vänja sig vid samhällets black om foten.

Svalan har flyttat, sädesärlan ser han ej längre, lärkan låter ej höra sig mer.

Allt som hörs är tröskverkens dova brummanden och gälla skrik, när kärvar går igenom. Det är hans uppgift att släpa fram nekar och kasta dem på matarbordet, där fadern har det enklare värvet att skära upp det gula bindgarnet med skomakarkniv och mata.

Det är tungt och förslöande enformigt, och han sjunker utmattad ner i halmen när verket tystnar för att säck ska bytas. Fadern börjar grymta och prata argsint för sig själv, höstvetet blev inte vad han väntat.

Efter arbetsdagen hostar pojken gråsvart damm ur halsen. Om han vågade för fadern skulle han somna vid middagsbordet.

Telefontrådar tyngs av svarta fåglar, i tigande åskådan av människors ordning, innan de i skriande svarta virvlar drar bort över grågula, mejade fält. Mörkret faller allt brådare var dag, tröskverken brummar i skymning.

Och löven gulnar. Asken är först, dess bleka skeletthänder klibbar vid kläder och stövlar. Sommarens gröna enahanda får egenart och djup. Tjusande ungbjörkar avslöjar sig som lungsiktiga fattigjungfrur, gulfläckiga i sommarkjolen visar de skamsna sina fläckiga lår. I skogen höjer sig deras rikare släktingar, som högmodigt kastar en skatt av guldmynt i mossan.

De stolta ekarna sörjer sommaren i brunt, men i en kort övergång mellan heraldiskt grönt och smutsbrunt finns en vemodig tid, då de visar en fin, lindblomsgrön nyans, som är sällan sedd av andra än väsen ur en främmande ordning.

Rönnens klasar rodnar av tanken på sidensvansarnas milda våld, medan bladen skiftar mellan vinrött och brons.

Den darrande aspen har pojken sett hela sommaren med sin vanliga, häftiga medkänsla – du skälver och är rädd som jag! Men vad är det för fader som skrämmer dig, om inte den Gud som är starkare än vi och utan barmhärtighet?

Men jag har rikedomar att bjuda på, säger aspen och förödmjukar den fattige pojken med höstens färgprakt i rött och gult och grönstrimmig svärta. Jag har något att ge, fast jag bara är Den Skrämde i Skogen! Vad äger du själv?

Och pojken har inget att svara till detta. Han ligger på sin vindskammare, sjuk av kolos från kakelugnen, och ser ut mot lönnen vid gaveln, som sakta går under i festkläder av scharlakan, mörknat guld och karmin. Även förgängelsen är stor, men pojken ska leva i en oföränderlig värld, där Gud är evig, fadern aldrig åldras, skräcken består. Själv ska han vila känslolös, en glosögd trilobit i skräckens sten.

De första frostnätterna har nu gått förbi, och det är dags att plocka slånbär från slänterna söder om Fridhem; av kylan har deras kärvhet mildrats, och bären ger en aromrik, purpurmörk saft. Pojken sticker sig på slånen som vanligt, han är valhänt i verkligheten, ofta darrhänt.

Ännu en luffare kommer, de har sina signaler som säger, att hos Svenskamerikanarn ges mat, men man bör inte besvära för ofta, då blir husbond arg. Nu har det dröjt en tid, bonden grymtar men låter luffaren övernatta. De ger honom mat av kristlig barmhärtighet men med en dunkel känsla av olust: som alla i bygden vinner de sin bärgning med möda, och den som ej arbetar skall ej heller äta. De lugnar sitt samvete med att sätta luffaren till onödigt arbete, hugga ved för vintertraven som redan är staplad, bära in ett fång till låren, som redan är full. Sedan han "arbetat" får han också äta. Han luktar snusk och ammoniak och grälar halvhögt på Gud.

Men Gud är starkare än luffaren och gitter inte ge svar på tal.

5

Lövträden står kala nu, den första snön faller. Barnen är vilsna och blyga inför det vita, börjar tvekande krama snöbollar och kasta. Snön smälter snart, och jorden vänder sig i sömnen under den grågula stubbens täcke. Människor vandrar över jorden utan skuld, de har inte begärt mer av dess håvor än rimligt är, har inte förgiftat den, i sjön och ån spritter ännu fisk i det levande, friska vattnet. De lever nära jorden som djur, barn som inte diar sin mor till döds.

Nu är det november och tid för slakt. Pojken purras tidigt för att vara med, även Svensson har kommit på plats som slaktmästare med knivar i bältets träskida. Fadern har ovanligt nog ”köpt ut” i Trosa, Svensson vill ha djupa slaktsupar, efter blodtappning, skållning och styckning.

Svinet skriker av dödsångest och andedräkten virvlar vit när det bleka djuret släpas över svartvit lermark mot bykhuset, där modern redan kokat upp vatten. Hon avskyr Svensson, som propsar på slaktsup redan innan han dövar svinet med yxhammare. Djuret knäar, och Svensson sticker in kniven och trevar runt med eggen efter aorta, tills den röda, pulserande strålen sprutar fram. Modern fångar blodet i ämbar och vispar det med rågmjöl. Nu är det tid att skålla och skrapa svinet med blecklock, nu måste pojken vara med. Så läggs ett snitt mellan hälsena och klöv, så djuret kan hissas i bakbenen med talja och block. Ännu är Svensson stadig på handen, snitten läggs säkert, så blålila inkråm väller fram, hinnor och vita vävnader friläggs, fadern tömmer tarmarna på träck.

De festar på kotlettrad sedan, men Svensson är nu så lummig, att modern är stel av ovilja. Dock får han med sig en smakbit bogfläsk i en rödrutig linnehandduk, nog lär den behövas, som familjen hans sägs ha det där hemmavid.

Pojken förstår dunkelt, att även Svensson är en dålig fader, olik andra i bygden, och han tänker med ömhet på hans barn, som han dåligt känner. Han hittar på att Agnes Karolina är dotter till Svensson, därmed förenas han än mer innerligt med den drömda väninnan.

I slakttiden är fadern annars på sitt blidaste humör, nu får han dagligen fråssa på den tunga mat han vill ha. Modern reder hjärtlag och svinränta, smälter sedan plockister till brunt flott, som fadern breder på rågbröd, saltar, pepprar och äter med grymtande välbehag. Sidfläsk läggs i tina, bogfläsk sänds till rökning. Skinkan rimsaltas med tanke på julens behov, huvudet tas till vara för pressyltan, som är moderns stolthet. Dagarna blir mörkare, kallare, kortare, vi närmar oss jul. I köket står ett mättande os av slaktmat, kryddiga eller milda dofter av bak. Av pepparkaksdegen skär vi till de fem avbilder av familjen som ska hängas i granen, vi skrattar ansträngt och leker lycklig familj.

Jag skickas till Handlarn för att köpa kardemumma och saffran, och den runde affärsmannen visar mig stolt en gul, rödbandad halmbock som ståtar i fönstrets julskyltning. Jag grips av högmod och förklarar sturskt, att en sådan bock kan jag göra som ett nix.

Jag ser ju på bandens gång och halmens stukning hur bocken är gjord: det är väl ingen konst! Jag slår vad med Handlarn, och Rulle slår av, men jag anar i en ilning av ångest att jag lovat för mycket. Att se är en sak, att göra med händerna en annan.

Jag stjäl ett rött band från systrarna och sätter mig sen på logen i vetehalmen och gör fåfänga försök att vränga till en julbock. Det vill sig inte, trots att jag nu har morakniv som en vuxen karl och kan skära till halmen. Jag måste ge upp i förtvivlan.

Men det är outhärdligt att gå till Handlarn och erkänna ett nederlag. Jag knycker en julbock bland hemmets prydnader och bär den till Handlarn – se här vad jag gjort! Handlarn förundrar sig storligen och ger mig femtio öre för bocken, vilken han säljer till barnen för en femma. Femtioöringen investeras i snask, men jag pinas av ångest. Hämndens furier jagar mig, jag kommer att få gruvligt med stryk.

Mardrömmen får ett besynnerligt uppvaknande. Bekänner jag mitt brott? Upptäcker någon förlusten? Jag minns inte. Minns bara att brottet upplöses i snopenhetens flin – min far skrattar bara och finner mig klipsk, tänk att få femtio öre för sånt krafs, pojken kanske inte är så oduglig ändå, han kan bli affärsman! Modern är mulen, hon är traditionens vårdare, pojken har försnillat julens emblem. Hon tröstar sig med den tredelade ljusstaken i form av en anskrämlig tomte med Liljeholmens ljus i händer och luva, en vantrogen nutidsbild av Treenigheten.

Men pojken glömmer aldrig händelsen med julbocken. Han är inte upprorisk – hur skulle man kunna göra uppror mot en allmakt som faderns? Men hans övertygelse om livets godtycke får ny näring. Han får stryk när han inte har gjort något ont. När han verkligen begått ett brott, som borde leda till Lövsta uppfostringsanstalt, kanske borde han på fästning för att smidas i halsjärn vid en mur, ja, när han vältrat sig i tjyvnad, sålt annans egendom och njutit kokosbollar för orättmätigt fången förtjänst – då skrattar fadern bara och tycker han är en fiffig liten fan. Ondska, galenskap och godtycke är de vuxnas egenhet. Man kan aldrig veta hur de tänker och handlar. Men just detta att leva i ständig osäkerhet och undran är värst.

Men bocken är snart glömd, och de gör sitt bästa för att leka vanlig familj och ha lycklig jul.

Modern sörjer julbocken, som kanske är en relik från dessa värmländska traditioner, som hon envist håller fast vid. Även systrarna värnar traditionerna nu när de vuxit till sig och fått egna hem i sikte: de tre kvinnorna hycklar en julstämning de inte riktigt känner i skräckens hus.

Kanske är det värmländsk sed att fira lillejulafton den 23 december? Då går fader och son till skogs för att söka en gran, som sedan pyntas av systrarna: familjen Delblanc i pepparkaksform kommer sist på plats. Julkaffe och de första smakproven av saffransbullar kröner verket. En julklapp får man öppna nu. Pojken får av farmor en dansk gardist i röd vapenrock, lillasyster av farbror Stig en anskrämlig tomte av choklad med stanniolpappret fastlimmat med tapetklister: sånt finner Stig roligt. Djuren får nytt strö och bästa tänkbara foder, på vinden sätts gröten ut åt tomten, det är moderns påfund, barnen växlar ironiska leenden. Julkärven stakas upp och lockar gulsparvar och grönfinkar, de stolta, roströda domherrarna inväntar kallare väder.

Julafton kommer med den feta maten, redan till vällingen får man sovel till brödet. Julmiddagen är överdådig, skäl nog att hålla fadern på gott humör, så mycket mer som han köpt hem ett dussin pilsner från Handlarn. Det är julkorv och kokt skinka, det är moderns vitstrimmiga pressylta, ännu mönstrad av linneduken, mäktig men god med rödbetor. Pojken får mandeln till gröten, det ger anledning till skämt, nu leker de lycklig familj. Det är kaffe och saffransgul kuse, pepparkakshjärtan med mandelnavel, det är nötter, fikon, russin, dadlar och kanske en sällsynt apelsin. Men bland gåvorna bara alltför sällan de hårda paketen med böcker.

De första åren far de till julotta i släde, när föret så medger, sedan med häst och vagn. Pojken somnar i kyrkan men vaknar av Herrens dånande röst i orgeln: även med sin mäktiga stämma vill han bevisa, att han är starkare än allt. Jesusbarnets födelse betyder inget för pojken, av evangeliet minns han bara Herodes och barnamorden.

Med trötta, tåriga ögon ser han flimrande ljus och tänker på alla de barn som aldrig kunde fly till Egypten.

Dock har de varit i kyrkan nu och visat sig för prästen, för modern är detta en seger, hon nickar och hälsar för att visa bygden, att detta är en alldeles vanlig familj. Hon får tvungna leenden tillbaka.

Efter Hoppets stora högtid far de tillbaka till skräckens hus.

Fadern sover mest och blir ofta otålig över julens påtvungna sysslolöshet. Allt är snart som förut i det nattliga huset.

Pojken har lärt sig läsa på egen hand och sticker sig undan i hörnen med halvt obegripliga böcker. Modern och systern tjänar traditionen i en mörknande känsla av nederlag. Svarta dagar vacklar fram mot Tjugondedag Knut, men granen står kvar i den kalla salen länge ännu.

Menlösa barns dag går obemärkt förbi.

Bondeåret är snart till ända.

Skolning

1

Min syn var svag, jag gick mestadels och stirrade ner i marken, försjunken i drömmar. Med hörsel och lukt vann jag kunskap om världen. Jag hörde på min fars fotsteg om han var arg, de blev tunga och hårda. I vreden fick han en lukt av rostig taggtråd.

Skogen luktade mustigt, trädgården kryddigt, nyslaget hö spred sommarens blonda parfym. Jag kunde gå blundande genom världen och veta årstid och klockslag, veta var jag befann mig.

Stallet luktade gott, i lagården var doften fränare, mer sammansatt, kemisk, med vilda möten mellan lukt av dynga och den milda eller syrliga lukten av mjölk. Men all naturlig lukt var god, bara sjukdom och död luktade illa. Svåmen från gödselstacken var behaglig för näsan, även när den skalv av flugor. Inte ens Bellman luktade illa där det reste sig i ett krås av ärgiga brännässlor, ett torrdass som visste sin plats bak häggen men fyllde sin roll med heder.

Regniga vårdagar luktade färsk fisk.

Människor luktade gott. Karlar osade tobak, läder och frän, manlig svett, kvinnors svett var mer ettrig och hetsande, ty detta var en tid då kvinnor ännu luktade hona: därav blev fruktsamheten stor i bygden och karlarna begärsna och vaga i blicken. Ungflickor gick i ett moln av hycklad kyskhet, sammansatt av stärkta bomullsklänningar, därtill citron av gult schamponeringspulver och ett stänk ättika i sköljvattnet. Men i hårt arbete bröt kvinnosvetten fram ur ludna armhålor, så männen drog tungt efter andan. Mödrarna tog matoset av sig med förklädet, spred därpå en mild eller syrlig doft av mjölk omkring sig. Arga mammor luktade grönsåpa.

Dofterna sov längre än människor och djur om morgonen, som vällustigt bortskämda kvinnor under daggens täcke, men solen värmde och vällukten vaknade för att slå ut sin brokiga stjärt. Trädgårdens dofter var otaliga, skiftade från steg till steg, en symfoniorkester av idel virtuoser, som spelade var sin melodi och ändå gav harmoni. Där var dofter av anis, kummin, lakrits, turkiska sötsaker och honung, kärleksfilter och lukt av mässing, och en benådad vecka om våren svävade över alltsammans de blommande fruktträdens nästan omärkliga parfym, förfinad som sufisk poesi. Men under dofternas tusen stämmor spelade ett ostinato för cello och bas, en lukt av mull och multnande löv. Och fåglarna sjöng.

Visthusboden i flygeln bjöd på en mättande doft av mjöl, rökt och härsket fläsk, allt mycket behagligt, med en bismak av trygghet, liksom den jordiga lukten i potatiskällaren. Samma odör i Handlarns butik var bemängd med kryddor och den söta, klibbiga lukten av torkad frukt, en instängd kryddlukt olik den vilda lukten kring tjärnen i skogen.

Det fanns dofter med en stark, manlig dunst av munter handlingskraft, så lukten av tjära, soltorkat trä, linolja, gula, fuktiga hyvelspån och beck.

Trötta och slitna kvinnor hade svårt med sin renlighet ibland, den vilda lukten av härsken sill gav en känsla av ömhet och skygghet. Men en frisk ung kvinna i solvarmt arbete – ja, vad luktade mer av kärlekens öppna famn...

Kanske var det hälsa och arbete som gav god lukt. Gamla människor utsöndrade i bästa fall en stolt och tapper dunst av trä och läder, men overksamheten bidrog inte till vällukt. Man vädrade ogärna för att skona stugvärmen, osunda kroppar spred kvalm omkring sig.

Skogen var ett spektrum av dofter från solvarma hällar, skuggade, syrliga granar, gölens magiska apotek.

Säker som en stövare rörde jag mig i en skog av dofter. Näsan var ett kunskapsorgan, lukternas värld en öppen bok.

Förtrycket var tungt som asfalt. Maskrosen bröt sig väg ändå.

2

Före ordet var bilden.

Jag målade med färgkritor, tecknade med blyertspenna, och stolta anförvanter trodde jag hade talang. Så var det nu inte. Jag målade rödnästa alkoholister, som jag visade upp för pappa och farbror Stig för att belönas med bullrande skratt och en femöring. Bilderna var som hämtade ur deras älskade skämttidningar, som ivrade för svenska råhetens bevarande. Jag visade upp mina plumpheter och sliskade och log för att behaga. Då som nu.

I hemlighet ritade jag bilder för mitt eget nöje och hade ett ständigt, pinande behov av papper. Bruna omslagspapper och uppfläkta påsar från Handlarn räckte inte långt.

Mina egna motiv var grotesker, karikatyrer, ansikten förvridna av fasa och skräck, stirrande med blodsprängda ögon. Bilder av naturen intresserade mig inte lika mycket. Jag smalt in i naturen som ett litet djur, levde där ledd av instinkter, spejade ej med vaksamhet och skräck. Människor kunde vara farliga, ej så naturen. Visst hände det att jag nässlades, skrubbades, spetsade mig på rostiga spikar, men detta gav en välsignad frihet att gallskrika och skynda hem till moderlig omplåstring och ömhet. Man hade sig själv att skylla. Naturen var skuldlös och aldrig skrämmande som fadern.

Mina teckningar blev till sekvenser, serier av äventyr, ofta kring motiv som ensamhet och trygghet. Att vara ensam på en öde ö. Att vara ensam i en ubåt på havets botten. Ensam, utan skräck.

Med förpuberteten kom insikten, att ensamheten inte var möjlig i en tvekönad värld. Min dagdröm blev att leva ensam med hullmjuka flickor på en isolerad bondgård i Norrland: härdigt korn kunde man odla där och säkert mandelpotatis. Älv och sjö gav röding och harr. Tre flickor – minst – skulle jag ha i mitt arktiska harem; om jag borde inkludera en sameflicka var föremål för långt och nattligt grubbel. Om hon kanske skulle bli osams med de andra jäntorna? Kanske skulle hon uppsuga min mannakraft, så jag inte räckte till för flera? Men jag behövde hennes hjälp att flå fällen av strörenar, så mycket var säkert. Vintertid måste mina kvinnor dryga ut kosten med färskmat, nämligen.

I fållbänk och bastu plägade jag vällustigt umgänge med mina flickor, milt undergivna som tackor. Att de själva skulle visa sig verksamma eller ha nöje av akten föll mig aldrig in, jag härledde min klena kunskap om kvinnligt beteende från djurens värld.

Min önskedröm var hotad och blodstrimmad av skuldkänslor – flickorna kunde bli med barn! Så mycket visste jag ändå, därtill att barnafödande var ett grymt lidande. Av någon gudomlig förbannelse tillhörde jag det brottsliga kön, som var dömt att pina kvinnor och barn.

I flickors närhet blev jag kallsvettig av skräck, rädd även för att ta dem i handen. Jag skulle sannolikt smitta dem med spetälska.

Så var jag i förpubertetens drömmar ömsom sultan i ett harem, ömsom självplågande stylit på min mandoms röda pelare. Inte ens mina erotiska haremsdrömmar var fredade. En mäktig rival kom nattetid till min norrländska gård för att knivas med mig om husbondeväldet. Jag vaknade ur mardrömmen och skrek. Rivalen liknade min far.

Tryggare var att försjunka i läsningens söta narkos.

Typografens sonson var inte utan böcker i hemmet, men nog var det ett nyckfullt urval. Farfar har tydligen fått böcker till skänks ur restupplagor. En volym ur bibliofilupplagan av Strindbergs Samlade Skrifter prålade på hyllan, tyvärr var det bara hans kulturhistoriska studier. En praktfull edition av Levertin tronade där, lika obegärlig hos oss som den legat i bokhandeln.

Där fanns några oinbundna volymer av en världshistoria, jag erinrar mig ett avsnitt om franska revolutionen, med bilder efter David. Skillnaden mellan det blodiga skeendet och de operastiliserade tablåerna med ädla åtbörder har fastnat i minnet. En aning om motsatsen mellan grym verklighet och ideologiskt dirigerad propaganda började gå upp för mig.

Barnböcker förekom ej i hemmet, och läseböckerna syntes mig lögnaktiga och dumma: som på Sörgården gick det då inte till på Mölna eller på någon gård i bygden! Boken om Nils Holgersson var pinsam i sin moralism – hur kunde nån vettig människa finna det mer angeläget att lyda pappa och gå i kyrkan än att förvandlas, bli osynlig, fly hemifrån på en vänlig vildgås?

Sörgården berömdes av stadsbor, Nils Holgersson av vuxna människor – nog sagt!

Det var vuxenböcker jag läste, och de svåra orden utgjorde inget hinder, snarare gav de föda åt fantasin. Några volymer Grimberg var en skatt, där fanns långa citat ur gamla handlingar och brev, ljuvt eggande i sin svårbegriplighet. Västgötalagen var förträfflig, dess kärva, arkaiska ord låg nära bondelivet på Mölna.

Blodbaden i Stockholm och Linköping tedde sig långt mer sannolika än joltandet på Sörgården. Huvuden föll för yxan, blod skvalade i rännstenen, det var säkert så det gick till i verkligheten. Tyrannerna Kristian och Karl var starkare än sina offer, fattas bara att de inte var mordiska. Sådan var verkligheten, sådan historien!

Berättelsen om katolskt fromhetsliv gjorde ett djupt intryck på mig, åtminstone det som handlade om självplågeri, om att gissla och spöa sig och begjuta sig med smält vax. Jag prövade med droppande stearin men fann det inte särskilt smärtsamt – måntro om inte den heliga Birgitta var en smula överskattad? Jag slog mig med en livrem, tills systrarna kom på mig och gycklade ihjäl min strävan att bli helgon. Lika gott det, remmen gjorde ont. Ingen skulle ändå kanonisera Svenskamerikanarns grabb eller vörda hans knotor som reliker i gyllene skrin.

Det var ingen åstundan att behaga Gud eller Jesus som drev mig till självplågeri. Jesus kanske bar kärlekens lykta i handen, det var möjligt, men han klappade förgäves på porten till Mölna, ingen hörde honom, ingen låste upp. Vad kärlek som ändå fanns där inne var kvinnligt naturvuxen som fågelbärsträdet i skogen.

Och Gud? Han som var starkare än alla och som hade sin lust i lidandet, varför gå hans begär till mötes? Vem var han? Jag föreställde mig ibland, att Gud steg över horisonten med sitt huvud, en väldig kittelhjälm av guld, lysande, utan ögonspringor, men med hål för näsa och mun. Han andades eld över jorden, den flammade av krig och pest. Gud insöp med vällust den söta lukten av mänskligt lidande. Dock ville han ingenting se.

Att se lidande upplevde jag själv som något så ytterligt plågsamt, medkänslan som en smärtsam kramp, den ville slå över i vrede, den väckte en drift att skrika och slå eller gömma sig i ett hörn och barmhärtigt förvandlas till sten. Inför det onda var jag maktlös, kunde inget göra för att hjälpa. Gud och min far var starkare än jag.

Och varför skulle en allsmäktig Gud underkasta sig plågan att se? Blind måste han vara för att njuta sin grymhet.

Gud åsamkar oss lidande. Men att som helgonen själv tillfoga sig smärta, det var sällsamt och eggande. Det syntes ge utrymme för den fria viljan. Att viljan också kunde vara fri att göra det goda föll mig aldrig in.

Och jag slog och slog mig med en livrem.

Uppe på vinden stod en bokhylla med sekunda gods, trasigt och sönderläst. Där fanns mappar med reproduktioner, bland dem bilden av det övergivna gamla slottet, där ville jag gärna bo, det föreföll så fredat och tomt. Där fanns också bilder av Arga Arbetare. De liknade gorillor med grova käkar och påminde inte ett dugg om morbror Rickard eller farbror Stig. Detta gjorde mig obestämt förargad – jag anade lögn och propaganda även här. Och jag fann i vuxen ålder, att målaren nyttjat en ful akademiker som modell.

Den största skatten på vinden var en inbunden årgång av Idun. Där fanns en bild, som alltid väckte min vrede och förtrytelse. Bilden visar Oscar II på julfest i ett sjömanshem, där han delar ut julklappar. Men monarken är hutlös nog att kasta paketen till de väntande matroserna – vad var det för fason? Varför hade han inte vett att kalla dem fram, överlämna artigt och ta dem i hand?

Så hade pojkens lurande upprorsdrift fått ännu ett föremål. Denna flammande vilja till revolt, som tämligen ologiskt slog över ända det eviga argumentet – han är starkare än sjömannen. Han är kung och starkare...

Jamen, jag skiter i om han är starkare, han ska åtminstone visa folkvett och ta dom i hand!

Pojken kokade av hat över en gammal bild i ett tidningslägg.

Han trodde fullt och fast, att den vitskäggige monarken var en världsfurste, aktad och vördad och åtlydd av alla. När han kom till Uppsala fann han till sin bestörtning, att alla och envar betraktade Oscar II med löje och förakt: kungen var död och sålunda inte starkare än någon. Därför kunde han saklöst hånas och bespottas.

Det kändes betänkligt att plötsligt tillhöra en kompakt majoritet. Han gjorde beslutsamma försök att finna något försonande hos Oscar II, en otacksam uppgift, dessvärre.

Men för en växande varelse, som bara alltför lätt kunde lamslås av resignation, var det förmodligen nyttigt att någon gång bli arg, i brist på bättre arg på en hädangången kung.

Glädjen åt det blommande körsbärsträdet och plötsliga blixtar av vrede var ändå tecken på liv.

Men vreden träffade aldrig sitt rätta mål. Den allsmäktige fadern kunde han inte nå.

Hemmets tillgång på böcker var snart förbrukad, han led av läshunger. Husby-skolan hade ett litet bibliotek, vars volymer ”auktionerades” bort. Läraren läste upp titlarna, den som först ropade fick låna boken. Pojken kunde av pur blyghet inte hålla sig framme, han fick nöja sig med någon överbliven lunta om dygd och hurtighet bland klämmiga grabbar, en läsning som ingav vedervilja.

Bättre blev det när IOGT:s bibliotek slog upp sina portar för honom. Jules Verne var ett fynd, inte för att pojken hade tekniska intressen, utan för de myter fransmannen skapade och gav som näring till drömmar och fantasi. Träsnitten på det gamla papperet, smuligt som torrt wienerbröd, bidrog till suggestionen. Härligast var berättelsen om ubåten Nautilus, jag drömde avundsjukt om kapten Nemos lyckliga ensamhet på havets botten. När jag med tiden fick se planscher på riktiga ubåtar, överfyllda med elektronik, torpedtuber och svettiga matroser, fick jag bekräftelse på min dystra avsky för den perversa, moderna civilisationen.

Att leva som kapten Nemo, vällustigt utsträckt i en schaggsoffa, med pärlande Pommac i kristall och meditativ utblick mot juvelblå havsvidunder storögt gloende utanför ventilerna, det var en sällhet utan like.

Det framgick inte om kapten Nemo hade en argsint far, ingen sådan demon följde i varje fall med honom på Nautilus. Ensam och fredad levde Nemo på havets botten.

3

Barndomens läsning berikade mitt språk men påverkade ej min tanke. Ingen diktare värd namnet låter sig påverkas. Han är från början besatt. Hos tänkarna söker han syskonsjälar, som kan skänka bekräftelse. Du som jag! Sant, min broder, detta uttrycker du väl. Där belyser du något jag redan vet.

Att skriva är att vara besatt av idéer, som gäller liv eller död, ditt eget och släktets. Av arv, miljö, barndomsupplevelser är du från början besatt och låter dina tankar träda till kamp på språkets arena, dialektiker är du med nödvändighet, inte reklamarbetare eller propagandist med plakat i näven. Men de kortsynta lärde trodde att diktaren var en oskriven tavla, som lade tänkarens bok på sitt skrivbord för att tota ihop en vitter seminarieuppsats. Det är vanvett. Man lär av tänkarna vad man redan vet.

Vad jag lärde av gnostiker och klassiska pessimister, det visste jag redan. Vad buddhismen eller Schopenhauer sade om livsviljan var redan min övertygelse, ifrågasatt bara av det envist blommande körsbärsträdet. Mystikens klassiker ingav ofta besvikelse, de arbetade med en mytologi jag inte kunde minnas från mina egna besök i avlägset land. Frihetens och det öppna samhällets förespråkare kunde te sig sympatiska, men hur skulle de kunna rubba en övertygelse jag redan fått bekräftad hos Källarmänniskan?

En diktare är från början besatt. Han söker hos tänkare bara bekräftelse på sin visshet.

4

Han levde i en ofrihet hård som ett skruvstäd. En grym Gud och ett obevekligt fadersvälde bestämde vart steg han tog.

Allt var som det måste vara.

Men varför då denna medkänsla med de än mer pinade?

Varför denna känsla av ansvar?

Varför dessa marterande, ofruktbara skuldkänslor?

Han lärde sig med tiden tänkarnas ”lösningar” på detta problem, men kände sig aldrig övertygad i hjärtat.

Det hus han byggde av ord skulle alltid vara hemsökt av gengångarna Medkänsla, Ansvar och Skuld.

En ofruktbar medkänsla, som lockade till förlamning, förstening.

Ett ansvar han skulle svika, åter och åter.

En känsla av skuld han aldrig blev fri.

Så levde han på en gång i ordningens grymma oskuld och förkrossad av det moraliska ansvarets börda.

På en gång självplågare och oskyldig som ett djur.

5

Vid skolningens slut hade barnet nått en teologi, som hade förfärat hans fromma morfar. Kunde den kallas deism?

En skapargud som danat världsuret kunde han tänka sig. Hur länge urverket skulle gå var ovisst, men vår tid var kort.

Två gåvor hade Gud givit sin mänsklighet, en drift att förstöra och utrota sig själv, och en moralisk insikt, som sade henne att denna drift var grym. Så är vi dömda att göra det onda och samtidigt pinas av vår ondska.

Men denne gud var blind och döv och stum och otillgänglig för våra böner. I moralisk mening var han lika passiv som en frostig seite i den lapska ödemarken.

Hans enda aktivitet var glädjen åt vårt lidande, åt vår lydiga strävan att förgöra oss själva, åt vår medfödda sorg över denna strävan.

Det fanns ett avlägset land, dit hans allmakt inte nådde: där härskade frid. Bara alltför snart blev du förvisad därifrån och kände djupare sorg över vår kluvenhet. Kanske var det ett skenbart val du hade att träffa utanför dess murar, valet mellan Ordning och Frihet. Båda vägarna ledde till undergång.

Historien visade, att vår självförstörelse pågick med liv och lust, kanske i snabbaste laget. Ibland måste vår moraliska insikt upplysas på nytt, kanske av Jesus, kanske av frälsare som Shakespeare och Mozart, kanske av det blommande körsbärsträdet i skogen. Vår dödsprocess kunde de inte hejda, bara inge en ilande aning om en möjlighet, en djupare sorg.

Man kunde känna sig klipsk genom att hylla den religion som kallas ateism, man kunde påskynda dödsprocessen med den grymma politikens dröm om Ordning, men kunde tillbe den döva och blinda stenen i ödemarken och kalla den nådig och god.

Historiens gång och människans villkor kunde dock ingen ändra.

6

Jag började september 1938 i småskolan, som låg vägg i vägg med Trosa Landsförsamlings kyrka, en gång belägen norr om den medeltida staden. När ån grundades upp hade Trosa flyttat mot havet utan att lämna andra spår än det gamla templet efter sig. Som slottskyrka under Thureholm och de stränga herrarna Bielke hade den sedan bestått.

Skolan rymde en lärosal, en kapphall och en blygsam bostad för skolfröken. För att kalla till lektion steg hon ut på en vitmålad, sirad veranda och svängde sin binglande mässingsklocka. I hallen gnagde vi medhavd matsäck, när väderleken ute var för svår. I kyrkan firades avslutning och sjöngs ”Den blomstertid nu kommer”, under Sankta Annas milda beskydd.

Avståndet hemifrån och till skolan var föga mer än tre kilometer fågelvägen, på slingrande vägar bör jag ha gått en halvmil eller längre, en halvmil dit och en halvmil dädan. Ingen skolskjuts var påtänkt ännu.

Allt efter årstid och sinnesstämning gick jag endera av två vägar, landsvägen eller skogsvägen söderöver. Skogsvägen var värd att utforska även sommartid, där växte vildhallon och smultron.

Landsvägen gick jag när snön låg djup, särskilt under krigsårens stränga kyla, då man i bästa fall kunde få skjuts en bit – ”vems pojke är du?” Men det var tider då vi kom bottentjälade till skolan och sattes av Fröken i hallen att tina och torka upp en smula framför en järnkamin. I klassrummet stod bänkarna i sjöar av smältvatten. Blåröda av köld begapade vi planschen över Israels barn på solgassad ökenvandring ut ur Egyptens land.

Stora landsvägen vill jag nu vandra i minnet.

Jag bar böcker och smörgåsar i ryggsäcken, därtill en vichyvattensflaska med patentkork, fylld av mjölk. Det ändlösa travandet medförde ibland, att den feta mjölken hade kärnats när jag kom fram: i tunn blåmjölk flöt vitgula, formlösa klumpar.

Mina smörgåsar var gjorda av mors hembakta bröd, hålkakor av råg, vanligen belagda med ost: jag minns att jag såg med avund kamrater, som njöt stekt ägg på brödet. De sämst lottade hade knäckebröd med tunnskrapat margarin.

Skolan började strax efter åtta på morgonen, men jag hade lika litet som mina kamrater en klocka, vi höll tiden och fann vägen av instinkt och känsla, och förseningar kan jag inte minnas. Solen och ljuset på himlen var klocka och kompass för männen på fälten och barnen på skolvägen.

Jag slank ut köksvägen, förbi det stora päronträdet och nedför frukträdsallén mot vägen, där först en rad stora hästkastanjer, sedan en kompakt granhäck, löpte parallellt med landsvägen och skyddade för insyn. Vår och sommar kunde jag kasta en blick mot skogen och fågelbärsträdet, en syn som gav tröst, innan jag vek av mot öster, på väg mot ”samhället”.

Första huset var Malms, han var en av de självpensionerade, en kutig, tystlåten man med en talför hustru, som bytte mustiga skämtsamheter med min far. Malm var en väldig fiskare, kanske av behov. Han ägde ett skyhögt körsbärsträd, som jag fritt fick råda över i bärtiden. Jag kartade till väders vid solens uppgång och åt till dess nedgång, om jag inte av övermättnad föll ur trädet och skvättande slog i marken som ett övermoget plommon. Malms gick oss någon gång tillhanda i skörd eller potatistäkt, men jag minns dem som mer bärgade än gamlingar som Abraham och Karolina. De höll kulört veckopress som jag begärligt läste, tills jag bara tröttnade en dag på eländet.

Till höger bredde sig vida fält, våra och Väsbys. Till vänster låg en åkerplätt på ett knappt tunnland, som lades till havre eller ärtor, stundom vall, en backig och svårskött mark för moderna maskiner. I dess östkant höjde sig en dyster grankulle, och nedanför slingrade en smal och drömmande körväg ner till Nygårds kvarn. Den hade överlevat de två Mölnakvarnarna som brukets eget kraftverk, och stod nu kvar som ett mönjerött, spökande träpalats med blinda fönsterrutor. Vattnet sorlade sorgset förbi, känslan av förgängelse var tung. De muntraste vandrare tystnade där, föll i dystra tankar och dränkte sig därpå i strömmen. Näcken spelade stundom där, gråtmild, åldrig och gråhårig på bröstet.

Stugorna i Epa-dalen var redan folkhem och nutid med en doft av lankigt kaffe och sirapslimpa, lika oromantisk var vägen upp till Väsby. Här gick emellertid en bro över ån, där det kunde löna sig att ha rev ute, för nöjet att hala in en halvdöd abborre på hemvägen.

Ån löpte fram i sin djupa fåra, inåtvänd och drömskt försjunken, med sorlande virvlar, som om den talade för sig själv under sin långsamma vandring mellan alar och hängande pil.

På andra sidan låg Filadelfias trälada, som konkurrerade fromt med Frälsningsarmén och baptisterna i Trosa, därtill med statskyrkans Baals-tempel, som i tilltagande vanmakt och tolerans drog frikyrkligheten med sig i fallet.

Men skolbarnet ägnade inte fromheten några tankar på den vindlande, stupbranta vägen ner till Husby kvarn, som då ännu mullrade och malde. Kvarndammen låg djupt och skyddad av höga stränder, och hettan där nere kunde soliga sommardagar bli sövande och tung i sällsam motsats till det eviga mullret från kvarnen. Nygårds kvarn var död och förfall, Husby kvarn var ångande liv. Gula näckrosor gungade lojt mellan blanka blad, vassen sov under sländornas blå och silvriga dans. Oväntat kunde en fisk spritta upp efter en insekt, vränga sig sval i vattenstänk och sedan falla på nytt, medan sakta cirklande ringar förenades hundrafalt.

Ur dammen hämtades vatten till kärleksdryck, vartill också brukades nosserot och jungfrurs blod.

Man kunde försjunka i djurisk dvala nere vid dammen, där den fuktiga värmen omslöt vandraren som Sörmlands livmoder, fruktsam och stundom galen. Så hade för barnet landskapets orter innebörder av livsvärde och känsla, av frid eller skräck, död eller förintelse, stundom av ett ångande liv han ännu blott anade.

På andra sidan kvarnbron gick en brant och slingrande grusväg upp mot Husby skola, vars borghöjd var omgiven av gravdösar, sakta smältande in i marken och skönjbara endast för barnets djurskarpa blick för ojämnheter i naturen. Här mötte man stundom åldringar stadda på vandring den gamla vägen mot Västerljung, som nödvändigt måste stanna för omständliga samtal – ”vems pojke är du?” Och barnet fick pröva sitt tålamod med att åhöra någon ändlöst flackande berättelse om skoldagar i gammalt, med prygel och långkatekes och brännvin i bläckhornen, att undergivet uthärda med ja och jo och tänka sig, och hälsa hem, och behöver ni hallon i år, nej, jäsingen, vinbär, hallon har ni själva...

Men Gud skapade ingen brådska, och tålamodet var utan gräns, tills äntligen gubben eller gumman bjöd avsked med tusen hälsningar och välgångsönskningar, och Herrens frid vare med dig...

Från Husby ledde en bekväm men ganska ledsam gångväg mellan spirande villabebyggelse – att ha villa var herrskapligt nästan – som mynnade i skolplanen, där kamrater väntade med slagsmål eller förslag att skära sälgpipor, innan Fröken trädde ut med ringklockan för att mana vetgiriga elever in till högljudda ramsor om Israels stammar – Ruben, Simeon, Levi, Juda, Dan, Naftali, Gad...

En mer dristig skolväg gick kvarndammen förbi och rakt in i samhället, där det skockades en pojkhop, som naturligt nog måste riskera livhanken genom att gå över dunkande järnvägsräls och trotsa fällda bommar och blinkande varningsljus.

I den växande bebyggelsen på andra sidan rälsen fanns IOGT:s föreningshus, där Stormästaren i gyllene regalier rådde över ett lånbibliotek, o, skattkammare, samt en butik som sålde gräddkola till ett pris av ett halvt öre per styck. Här tog man sig över ån på en träspång, vars smala räcken inbjöd till balansgång, medan småflickorna förfasade sig dygdigt och skrek.

Det var den stora skolvägen, den som förutsatte att pojken var vid gott lynne och hade kamratlivet i ordning. I trista stunder, när han kände sig utstött eller bara längtade efter ensamheten, valde han helst den dolda och ensliga vägen, skogsvägen.

*

Nu går han rakt över stora landsvägen, med fågelbärsträdet och skogen till höger, det känns tröstande hemvant, om också lite kyligt, särskilt om kvällen, när granridån skuggar den sjunkande solen. Han går över järnvägen och bockar för den melankoliske banvakten, som alltid går med tårar i hängmustaschen, för han är mormon och längtar till Saltlakestaden, där han får ha åtta fruar, medan den stränge kyrkoherde Axman bara tillåter honom en, som inte ens unnar honom livrätten fläsklägg och rotmos. Han torkar sina tårar med blårutig näsduk och lyss efter avlägsna tåg i den tickande, silverslitna rälsen.

Ett stenkast bortom Obevakad Jernvägsöfvergång ligger en sagans boning – den övergivna smedjan, ett falurött, förfallet skjul med järnbom och hänglås över dubbeldörren, genom vars kvisthål ett sovande Perpetuum Mobile kan skönjas. Dubbeldörrarna hade en gång öppnats för höftbreda clysedalare och ardenner, på den tiden de skulle in och skos. Nu är det en smedja i samhället som övertagit ruljangsen, men på Mölna är det far i huset som skor både folk och fä, för att spara en slant till hypoteket.

Sagor blommade som hundloka kring smedjan, mest sagolikt var kanske det gamla städet utanför, gott och väl på hundra kilo. Varför stod det där övergivet och rostade? Bara skrotvärdet måste vara betydande.

Naturligt nog måste pojken var morgon haka armarna om klack och horn i ett försök att lyfta städet, stönande, blå i ansiktet, förgäves.

– Du får nog äta ett par brödkakor till, sa en vänlig dräng, som körde enbetes förbi.

Det var lite försmädligt. Men det rackarns städet måste han lyfta förr eller senare, om han så måste glufsa rågbröd tio år till...

Varför nu det var så nödvändigt? Säg det... Han växte dock till i krafter och kunde snart rubba städet en smula...

Det är barnsligt, sa han sig. Vad tjänar det till att jag lyfter på fanstyget, vad bevisar jag med det?

Han växte, han lämnade orten, han glömde städet.

Många år senare kom han på besök i bygden. Han var då en

stor och kraftig man, och det föll honom in att fara till smedjan och lyfta på städet, en nyck, ett löfte att äntligen infria...

Men smedjan var riven, städet och evighetsmaskinen var borta, av sagan återstod bara lite rostflarn i gruset. Banvakten var längesen dräpt med makurja av sin käring, i hans stuga bodde en lesbisk mezzosopran.

– Du får nog äta ett par brödkakor till...

Ja, det var då, var morgon samma försök. Han uppgav det slutligen och slog in på den lantliga vägen mot Skälsta, Berga och Trosa By, den urgamla körvägen med djupa spår på var sin sida en ås med groblad och baldersbrå. Här var betesmark med slån och hagtorn, om våren ymnigt med sippor på sydsidorna av gassade klippblock. Här stod ännu urgamla gärdesgårdar, hankgärdsgårdar med fästen av eldbasade enevidjor, med lavgrå grindar hängande på handsmidda gångjärn och haspar, grindar man kunde åka gunga på, om okynnet förslog, men som alltid måste stängas med omsorg, annars gick korna i sädesbrodd och klöver, föråt sig och flög klotrunda och råmande till väders.

Vid en och annan grind väntade ännu småbarn på de allt glesare skjutsarna, som man öppnade grinden för och belönades med grindslant – två öre var taxan – men den nya tidens bilister hade ingen känsla för sånt, och när de inte fick hjälp att stänga, lämnades allt på vid gavel, så bygdens vårblå himmel prickades rödbrokig med fänadens gasfyllda klot.

Korna betar på ängarna eller vilar där som röda klippblock, och de vänder huvudet och ser på pojken med tankfullt igenkännande blickar: där är han, som var en av oss, så synd att han inte längre förstår oss. Skällkon tiger, mån om sin värdighet, men kvigan ger till ett sorgmodigt böl, en klagan över livets kval och människors enfald. Pojken känner en ilning av skam och skuld.

En hund kommer rusande ut ur en stuga, skäller som en besatt, men lugnar sig sen han fått nosa på pojken – ursäkta, men jag ser lite dåligt! Viftar på svansen, vänder sig mot annat.

Bland djuren känner pojken trygghet, han är en av dem. Han måste slakta svin och nacka höns, det är sant, men det är vad pris man måste betala om man vill äta kotlett eller kokhöns. De människor som vill ha dödsstraff måste vara beredda att själva ta bilan i hand och hacka huvudet av sin nästa. Ansvaret är ditt eget. Ingen kan åka moralisk snålskjuts på våldet.

När pojken läser om skarprättar Dalman och hela yrkeskåren av bödlar och rackare får han ett ryck av vrede. Det onda du jakar till måste du själv vara beredd att utföra.

En lackröd nyckelpiga hamnar på hans hårda pojkhand, och han räknar de svarta prickarna på hennes täckvingar – du är lika gammal som jag! Men jag kommer väl att leva längre än du. Är det något att glädja sig åt?

Nyckelpigan är vårtrög och osnar att lyfta. Han måste försöka med ramsan, som egentligen hör till flickornas flamsiga språk, pojkarna bara skakar av sig eller krossar kräket.

– Flyg, nyckelpiga, flyg...

Sirligt och dröjande särar hon sprundet i sin röda dräkt och försvinner i blå vårhimmel.

Solen stiger, och en luktsvåm av gödsel ångar från fälten, han finner lukten god.

I pojkens inre tickade en osynlig klocka. Han visste att han hade gott om tid. Brådska och jäkt var okända begrepp i hans värld.

Ortnamnen i den trakt han genomvandrade vittnade om egendomarnas splittring mellan stora barnkullar under magra tider. Ur Berga hade utsöndrats Herrberga och Nyberga, ur Stene hade alstrats Sörstene, Ytterstene, Nystene. I nya tider hade de åter samlats till stora enheter, tills det slutligen blev olönsamt med råg och lönsamt med sommargäster.

I Skälsta kunde han plocka upp Tore, som var röd och fräknig, och i Berga Lennart, som bligade lömskt under lugg. De var hyggliga kamrater, helst när man var ensam med dem.

De bar namn efter sina gårdar, efternamnen betydde mindre. De kallades av vuxna och nämnde sig själva Sven i Fagerhult, Tore i Skälsta, Lennart i Berga. Större egendomar krävde prepositionen ”på”, man satt på Thureholm, Vappersta, Åda. Själv var pojken Sven i Över Mölna – uttalat med grova landsmålsläten – när inte öknamnen gällde.

Men skogsvägen var avsedd för tysta och tankfulla morgnar, det var ensamhetens vandringsled. Ofta valde han vägar förbi både Skälsta och Berga, sneddade ibland över åkern mellan de två runstenarna i skogsbrynen och gick genom hagar och dungar nordost om Eriksberg. Han var nu framme i det närmaste, men självbevarelsens drift fick honom att stanna och vänta i skogen. Bäst var att komma fram i samma ögonblick Fröken ringde samman.

Denna skog var mer främmande och ogästvänlig än hans ”egen”, den med gölen och ödetorpet. Han tyckte tallarna såg honom med ovilja. Stigarna ledde honom vilse, mer av ondska än på lek.

Han kunde sätta sig vid en klipphäll mot söder med ryggen mot grön mossa och blågrå lavar och försjunka i den gamla drömmen att förvandlas till sten. Kanske skulle han bli en relief i den hårda klippan. Dock skulle inga runor berätta – Skräcken högg denna sten...

Med eller utan text skulle han ändå vara obegriplig och onyttig, så som runstenarna var onyttiga för folket i bygden: vem kunde lägga futharkens kvistar i torsdagens soppgryta? Onyttig var han och obegriplig som de.

En inre klocka sade honom att det var tid. Med mjölkflaskan kluckande i ryggsäcken skyndade han fram genom lövträden väster om skolvägen och kom fram när Fröken ringde in till morgonbön med ”Din klara sol går åter upp, jag tackar dig min Gud...”

Det värsta med denne blinde, obeveklige Gud var att han ständigt skulle tackas, lovas och prisas. Man skulle sitta på hans knä och smeka hans haka, darrande av skräck.

Efter morgonbön var det Israels stammar – Ruben, Simeon, Levi, Juda, Dan, Naftali, Gad, Aser, Isaskar, Sebulon, Josef och Benjamin.

Om dessa skurkaktiga personer kunde han läsa i Gamla Testamentet, som gav en sannfärdig bild av en grym, straffande och obarmhärtig Gud.

7

Den vanskapta kycklingen borde egentligen ha dödats. Det fanns inget hopp och ingen framtid för det kräket.

Var det av snålhet modern lät kycklingen överleva? Hon hade sin egen lilla inkomst av äggen, och kanske hoppades hon, att missfostret skulle krya på sig och växa till en dugande värphöna. Kanske hade hon inte hjärta att nacka sjuklingen, en grym och förvänd medkänsla.

Hon borde ha varit en vuxen höna nu, men hade stannat i växten. Hon led av ett framfall i stjärten, en gulröd slamsa strimmad av blodådror, som om hon burit en mollusk där bak. Slamsan var genomskinlig, man såg den blå avföringen passera.

Tuppen och de andra hönorna gjorde sitt bästa för att driva henne undan, jaga, hetsa, hacka ihjäl henne. Hönsfodret jag kastade ut räckte gott åt alla, men sjuklingen skulle först drivas bort, innan de andra gav sig tid att äta. Hon höll sig i utkanten, pilade fram och knep ett korn då och då, skyndade undan för argt kackel. Jag slängde åt henne några korn i smyg, och hon åt dem skyndsamt, med skygga blickar på de andras gemenskap: hon ville gärna vara en av dem. Hon stod inte ens lägst i hackordningen, hon var ensam och utanför. Men i hönornas värld finns ingen plats för eremiter, hon måsta leva med så gott hon kunde, i utkanten, i ständig livsfara. De andra hönsen hackade efter hennes ögon och efter den ömtåliga slamsa hon bar i stjärten.

Hon var sjuk och dvärgvuxen och ständigt förföljd, men levde envist vidare, utan hopp.

Min medkänsla med det arma kräket tog sig de vanliga uttrycken, skräck, raseri, förtvivlan, ibland ett vilt begär att förkorta hennes lidande, gripa de fjälliga, gula benen, bära henne till huggkubben och slut, äntligen slut!

Det avhuggna huvudet skulle ligga i träflisen med ett uttryck av frid, tänkte jag mig. Bara i ett dött, avhugget huvud skulle den blinda blicken riktas mot himmel och sol.

Men att egenmäktigt nacka en höna vågade jag inte, den sortens avrättning hörde till mors arbete. Och jag skulle aldrig kunna förklara min handling för Delblanc.

Tuppen hade ett narraktigt behov att leka försörjare. Han skrockade ibland och krafsade i marken, fast inget stod att finna, och hönorna skyndade till och plockade inställsamt efter obefintliga korn. Även den sjuka hönan trippade fram sidledes och pickade på tryggt avstånd från hönsgårdens härskarinnor. Så gjorde detta vanskapta kräk ett hjälplöst försök att behaga tuppen. Jag kunde bara känna skräck inför denna okuvliga livsvilja. Förstod hon inte att döden var starkare än hon?

En dag var den sjuka hönan försvunnen.

Kanske hörde jag hennes jämrande kackel, men i hönshuset rasade ständigt en högljudd maktkamp, fejder utkämpades, nya segrar utropades med triumferande skrik. Sjuklingens klagorop drunknade i larmet.

Jag fann henne på min vanliga äggjakt under logen.

Hon hade plockat ihop ett rede och ruvade på ägg. Hon vände och vände huvudet och såg mig med slöjade ögon, hon var sjuk och redan döende. Hon hade lagt sitt första ägg, stort nog att bereda en gås besvär. Den sjuka hönan hade blivit uppfläkt av sin meningslösa kraftgärning. Hon hade lagt sitt stora ägg för att dö.

Hon skrockade döende för att värna sitt ägg.

Jag släpade fram henne men lät ägget ligga kvar. Denna livsviljans vita jättefrukt ville jag inte skörda.

Mor kastade en blick på hönan och bar henne sedan till vedkubben.

Och yxan högg.

8

Jag betraktar två fotografier från min skoltid i Vagnhärad. Ett är från småskolan, och det inger mig skräck och avsky. Inte för kamraterna, de är som de kan. Dygdiga och välklädda flickor står hand i hand i första ledet och smilar belåtet vid tanken på goda betyg och bullar och saft. Undantaget är stackars Lisa, skälvande tunn och blek, det var hon som gjorde blyga försök att leka äktenskap med mig, få mig att dricka kaffe och leka full. Pojkarna är små busfrön, som truligt bemödar sig att stå stilla och se väluppfostrade ut. Ingenting konstigt med det.

Det som skrämmer är bilden av mig själv. Jag står med en komiskt omvänd skidmössa på huvudet, ensam av alla söker jag flina och göra mig lustig. Jag spelar min givna roll av rolig jävel. Jag begrep inte då, att sådant inte behövdes vid fotografering. Småbödlarna söker alla se beskedliga ut, jag hade inte behövt spela apa. Det hade blivit en andra natur.

Det andra kortet är taget fyra år senare, på den blåsiga planen utanför Husby-skolan på höjden: vinden rufsar mitt hår. Nu är det inte tal om att spela apa. Jag står i bakersta ledet och håller handen i sidan för att markera distans, det är luft kring pojken, han är den ensamme på bilden. Det syns att han har svaga ögon, förmodligen är han redan svårt närsynt. Ändå går det ingen nöd på honom, inte i umgänget med kamrater: i trängda lägen kunde han slåss. På bilden finns mer beklagansvärda än han, Lisa, ännu sig lik, statarsonen Torsten i avlagda golfbyxor, med slutna ögon gapande mot solen – led han av polyper?

Vad sorger pojken hade fanns knappast i skolan då. Den svåra tiden hade han i småskolan, då han blev grymt förföljd. Ett luxuöst lidande kanhända, en futtig självömkan att berätta om sådant i folkmordens sekel. Men vilket annat liv ska jag berätta om än mitt eget? Har jag inte gråtit nog över andras?

Och hur ska jag berätta? Skriva hjärteknipande minnen om det friska bondelivet, det idylliska Trosa? Jag orkar inte behaga mer, jag vet att idyllen ger pengar, men jag måste berätta sanningen. Min egen sanning om det enda liv jag fått och snart förbrukat. Detta liv som spred en peststank av främlingskap.

Gammal snart. Mina ungdomsvänner fyller sextio, jag sänder dem gåvor och hör berättas om deras stora kalas, jag läser i tidningen att de hyllas som samhällets stöttepelare. De sprider en söt lukt, de stinker inte som jag, nu som då.

Det kallas ”mobbning” på god svenska, en av dessa folkhemseufemismer. Det anordnas konferenser på storslagna slott om fenomenet, kongressande psykologer pratar, äter, dricker, dansar, horar, medan barn under tiden torteras krokiga och sjuka för livet. Misshandel och förföljelse är annars goda svenska ord, jag föredrar sådana, fast min stil kallas svårbegriplig på kuppen. Förföljelse och misshandel. Människan är skapad till Guds avbild och söker efter förmåga vara lika grym som han. Lika stark är hon dock inte, även de värsta bödelsdrängar åldras, sjuknar och dör. Därmed skapas ingen rättvisa. Ingen tortyr görs ogjord, inga döda står upp ur graven. Det är Guds vilja att människorna efter förmåga följer honom i spåren som skarprättare, men slutligen vill han visa även de mest läraktiga, att han är starkare än de.

Guds brinnande andedräkt omsluter jorden, hans avbild till ett livslångt lidande, men här och var finns skyddade skrevor, där de tillfälligt förskonade diskuterar samhällsförbättring eller kunskapsteori, medan livet dör ut omkring dem. Åsynen av dessa naiva dårar kunde inge mig raseri. Annorlunda det blommande körsbärsträdets dårskap, ja, kärlek är bara biologi, jag vet, jag vet, denna blomning i mörka skogen är bara naturens blinda drift, jag vet... Och ändå...

Själv skulle jag bli en av dessa okynniga pojkar, som skövlade trädet, bröt kvistar, skändade givmildheten, det är sant, och jag skulle hymlande peka på min ofruktsamma skuldkänsla, som om den kunde ursäkta...

Jag var som alla andra – bödel när jag kunde, offer när jag måste.

9

I småskolan var pojken länge ett offer. Inte särskilt ömkansvärt i folkmordens sekel, då offren varit otaliga. Men det kan vara värt mödan att granska hans belägenhet. Varför råkade han illa ut? Han hade inget lyte, som eggade till grymhet, hans särlingskap var inte störande, han hade ju lärt sig hemmavid att hålla tyst om fantasier och drömmar som väckte förargelse.

Men det är klart att hans konstiga namn var en svår förhävelse. Svensson borde man heta. Ännu i vuxen ålder lockade namnet det svenska främlingshatet till ytan. Delblanche, jaså, Dellblang, är det nåt jävla artistnamn, som Brazil Jack? Nej, det har burits av min släkt i många generationer. Är det vallonsläkt? Nej, tyvärr, att komma av valloner är tydligen en förmildrande omständighet...

Förutom namnet fanns en annan förklaring – han kom någon vecka för sent till sin första termin. Farföräldrarna ville ha honom kvar på besök, kanske för att träffa en släkting. Vem var det? Onkel Christian från Danmark? Tante Marie från Tyskland? Jag bör ha träffat henne någon gång, skugglika minne, innan hon förgasades i bombningen av Dresden. Genom att bomba kraftverk hade västdemokratiernas ledare kunnat förkorta kriget, genom att bomba järnvägarna kring Auschwitz hade de kunnat rädda otaliga liv, men de fann det roligare att steka tyska kvinnor och barn och därmed visa att de var starkast. Det är vanligt mänskligt beteende.

Var det släkt från Danmark eller Tyskland? Jag minns inte. Jag kom för sent, emellertid, klasskamraterna luktade på mig och slet mig sedan i stycken. Hackordningen var redan klar, en dvärgvuxen pojke hade satt sig upp som överbödel. Vad skulle han göra? Med sin puckelryggiga växt hade han lätt blivit ett offer. Nu blev han bödel för att överleva.

Annat kan anföras som förklaring till hetsjakten. Pojken var en smula vek och drömsk och osnar att slåss: han hade ingen bror. Mot fadern hade han inget annat försvar än blind underkastelse. Han hade haft få jämnåriga lekkamrater. Av modern var han bortskämd. Lärarinnan var blind för terrorn och flickorna burrade upp sig för överbödeln och skrockade sött.

Än värre – av den ständiga skräcken hemma hade pojken blivit inkontinent, han kissade på sig även om dagen när han blev skrämd. Denna svaghet verkade ej till hans förmån, när han blev hetsad av kamraterna. I minnet har dröjt en episod, då han står omgiven av plågoandar med ryggen mot en häck av gulblommande ärtbuskar och med våta fläckar på byxorna. Talkörerna ekar. Han försöker överrösta dem med det lögnaktiga påståendet, att han pissade på sig redan när han gick hemifrån.

Skolan står kvar, nu som klubblokal för en idrottsförening. Även en bit av häcken grönskar ännu. Jag har återsett den i vuxen ålder, med kallsvett i pannan.

Jag försökte muta plågoandarna med snask, gåvor, inställsamhet, men bevisade därmed bara min svaghet och gjorde ont värre. Jag fick en fotboll av farfar, en sällsynt skatt den gången, och tog genast med den till skolan. Man sparkade runt den en stund, men det var uppenbarligen fel. Genom att nyttja bollen kom bödlarna i tacksamhetsskuld, det rubbade hackordningen. Alltså skulle bollen förstöras. Episoden är av intresse, som exempel på beteende. Bollen var som alltid den tiden handsydd av läder och mycket hållfast. Det var svårt och tog tid att ha sönder den, det var tydligen fel: grymheten bör helst vara snabb och brysk. Det förringade bödlarnas prestige att det var så satans svårt att få sönder bollen. Det lyckades till slut, men då hade man mycket att vedergälla.

Jag hade Lisa till klasskamrat, men hon stod långt ner i hackordningen och hade sitt eget liv att värna. Olyckskamraterna kom aldrig på tanken att sluta sig samman till inbördes försvar. Vi kröp för våra bödlar och sökte själva offer att pina.

Lägst i hackordningen stod Ingrid, så lågt att hon nästan var utanför, behandlades som obefintlig och lämnades i fred. Det var min skräck att jag skulle bli utlämnad enbart åt henne, Ingrids jämlike.

Ingrid var analfabet, nästan stum och mycket äldre än vi andra. Hon var stor som en vuxen kvinna men hade övat in en hopkurad kroppshållning, för att inte falla i ögonen och reta bödlarna. Hon var klädd i en småmönstrad, violett käringklänning, som verkade befängd på en flicka. Hon knaprade knäckebröd på matrasten och kissade sedan på sig där hon satt. Jag vet inte vilken kommunal nyck som placerat henne i skolan: hon svarade aldrig på en fråga, blev snart inte tillfrågad alls och bör ha varit svårt efterbliven.

Lika litet som de andra kunde jag känna en gnista barmhärtighet för Ingrid, jag var bara rädd att komma i samma iskalla utanförskap som hon. Jag hade aldrig en tanke på att ty mig till Lisa, hon var för långt ner i vår sociala ordning. Jag ville behaga bödeln och helst bli en av hans rackardrängar.

Detta var barndomens värsta tid. Jag gick skogsvägen hem och till skolan, helst på stigar och obefarna vägar. I skolan fanns bödlarna och skräcken, där hemma väntade min far och skräcken: jag hade ingenstans att fly. En enda tillflykt fanns – uppgåendet i en annan ordning, den mystiska extasen.

Någon gång i andra klass fick jag ett av dessa sällsynta ryck av vrede, som förmodligen räddade mig till livet. Jag blev arg och klådde upp min överbödel. Jag var inte van att slåss, men skolrasterna hade givit god åskådningsundervisning. Min plågoande blev undfallande och beskedlig. Jag gick glädjestrålande klassen runt och frågade om någon annan ville ha stryk. Det ville de inte.

Glädjen dämpades när rackardrängarna kom och strök sig mot mig efteråt: de ville ha en ny boss att tjäna. Jag avvisade dem med olust, jag var ingen tronkrävare. I fortsättningen blev jag lämnad i fred men gick mycket ensam.

I klassrummet var jag tämligen duktig och vänligt behandlad av vår snälla lärarinna. Men det skulle aldrig falla mig in att söka hjälp hos henne. Maffians järnhårda lagar om tystnad gäller i barnens värld.

Om den terror som rasar på skolgårdar och lekplatser vet de vuxna ingenting. De har glömt innebörden av åtbörder och beteenden, de ser tortyren med rosafärgade glasögon – de små rustibussarna leker och rasar! Eller de vill ingenting se.

Själv anade jag inte att min egen son råkade ut för samma elände. När det äntligen gick upp för mig, hade jag bara ett råd – slåss! Du ska slåss fast de är starkare än du, slåss om det så kostar dig livet!

Han lydde mitt råd och fick sedan en god skoltid. I pacifismen har jag bara kunnat se bödlarnas hjälpreda. Grymhet och ondska kan vi undvika, men vi måste värja våra liv. Vi måste stå det onda emot.

10

Min barndoms överbödel, den skacke och förkrympte, han som ville hävda sig genom grymhet, förlorade sin ledarrang när han väl fått stryk. En ny gudfader trädde fram ur gangstergängets led. Själv blev jag surmulet lämnad i fred, Svenskamerikanarns grabb kan ju bli förbannad och slåss. Min forna bödel tynade bort och blev underhuggare, kanske sörjde han sin förlorade makt. Han dog i ungdomen, under ohyggliga kval, till de sinas saknad och sorg. I vuxna år har jag stått vid hans gravsten, den väcker beklämning och grymma minnen. Han led svårt och dog ung. Ingen rättvisa skipades genom hans död och ingen försoning vanns.

Det var bara en maktfullkomlig nyck av en grym Gud. Han ville se människorna pina varandra enligt den natur han givit dem. Slutligen ville han visa sin makt över sin avbild som bödel.

Blind och förstenad ville han njuta lidandets söta lukt.

11

Varför blir jag fortfarande upprörd när jag minns detta, när jag ser på klassfotot med pojken som spelar apa bland truliga och sedesamma kamrater?

Kanske för att jag inser, att jag då stöptes i en form och aldrig mer kunde förändras.

Ett barn som plågas av kamrater kan inte finna hjälp hos någon annan än sig själv. Att vädja till de vuxna är omöjligt, man skvallrar inte, de vuxna talar dessutom ett annat språk, de är döva idioter som ingenting begriper.

Ett plågat barn drömmer mardrömmar, kissar på sig, bemödar sig på alla sätt att överleva. Om detta måste jag berätta, inte för att jag var mer beklagansvärd än andra barn, utan för att det ännu finns otaliga barn som lider. Jag skulle nog kunna skriva barndomsidyller som smalt i truten på läsaren, men det får va nog med sånt. Jag svalt inte och frös inte, det gjorde ingen av oss ungar i bondebygden. Vi fick arbeta hårt och tidigt, men det var bara bra, om blott det inte var alltför hårt och alltför tidigt. Men när de elementära behoven är tillfredsställda, börjar människor tortera varandra. Något roligt måste de ha.

Banala fakta. Jag berättar mest av pedagogiska skäl. Hur beter sig ett plågat barn? Vilka försvar tillgriper det?

I mitt fall – spela pajas och gömma sig. Pojken på klassfotot har inte kunnat gömma sig, alltså spelar han pajas. Sådana beteenden bar han med sig in i det vuxna livet. Han dolde sig och han spelade apa.

Även i dikten skulle dessa förklädnader följa honom.

Är det viktigt ett berätta om detta? Jag tror det knappt. Detta språkområde vid polcirkeln har alstrat så lite av värde, varför skulle jag vara ett undantag? Men mitt liv är vad jag har att berätta om, och det jag skrivit tillhör onekligen mitt liv.

”En ådra av grotesk och frodig humor...” Ack, ofta var det väl bara en vettskrämd unge, som försökte behaga pappa och farbror Stig med den sorts lustigheter de gillade. Eller en mobbad unge som spelade clown för att slippa misshandel och förskonas.

Kanske hade han en smula fantasi, och den blommade tropiskt i ungdomen och senare, efter landsflykten från fridens ort, som hjälp att fly från en ”verklighet” som alltid tedde sig grym och grotesk. Men hur mycket förståelse hade han rätt att begära? Var hans drömda landskap för bisarra för att överblickas och behaga, borde han inte tiga om dem? Visa dig utåt grövre och simplare än du är kunde bli en räddande roll, en tillflykt.

Den skamlösa öppenhet som yppades i romanens essäism kunde jag inte förstå. Borde inte diktverket tala? Och dessutom, kära kollega, om du verkligen har något vettigt att säga om Nietzsche eller Kierkegaard, varför säger du inte det i en filosofisk tidskrift? Är romanens essäism dumhet på dispens?

Dana, konstnär, nog med prat! Goda och genomgestaltade bilder av vår grymma tid kan vi finna i stumfilmsfarsen, hos Kafka, medan Thomas Mann i sitt innersta bar på en misstro mot den egna diktens förmåga, som tvingade honom till prat och ironi och ett opportunistiskt vingel i politiken: han litade inte på sin konst och sin egen känsla. Det blev essäism.

Lyckades jag själv undvika essäismen helt? Dessvärre inte. Ändå blev det inte nog pratat för att förklara.

Och dess litterära program och manifest, var inte de en smula skamlösa? Var det inte konstnärlig oförmåga att peka på en godtycklig språklig åtbörd och sen gorma: "Detta betyder..." Förutom det pinsamt uppenbara, att programmen ofta var rationaliserad odugligbet eller falska analogier mellan dikt och mer eller mindre halvsmält filosofi och teologi. Den dikt som inte kunde verka genom konstnärlig gestaltning sökte stöd i en provinsiell litteraturvetenskap och dess malande avhandlingsindustri.

Förkunna ett program? Sedan man ägnat år av sitt liv åt att gestalta sina idéer? Nej, det var ändå för absurt. Bättre att tiga eller hålla med på alla idiotiska frågor, skämta och instämma, hoppas och vänta på den förståelse som aldrig kom...

Men hade jag inte mig själv att skylla? Barnet flinade inställsamt och dolde sitt innersta, men borde jag inte växa upp? Hade jag rätt att pinas av denna stumhet, eller av åhörarnas tystnad? Jag talar och talar men ingen förstår...

– Är det inte så du vill ha det, för att dölja skamliga brott?

– Kanske, ja, men å andra sidan...

– Hur ska du ha det, egentligen?

– Jag vill åka i vagn och färdas i båt. Jag vill dölja mig och ändå säga ett sanningens ord innan tystnaden kommer...

– Förtiga vill du! Alla dina offer, allt lidande du själv orsakat...

– Man måste välja bland sina minnen, komponera, det är en estetisk fråga...

– Besynnerlig estetik att drabbas av läglig minnesförlust! Var du inte själv en bödel under din värnpliktstid, deltog du inte då i tortyr av en kamrat, som blev skadad för livet, har inte du... Har inte kvinnor gråtit!

– Jag var ett offer, blev plågad och skadad...

– Att vara offer gör ingen till helgon! Vad har du att andra till ditt försvar?

– Något litet har jag ändå gjort för att gagna...

– För att gagna dig själv!

– Något litet...

– Ge honom tre kronor och be honom dra åt helvete!

– Jag är redan på väg...

12

Jag bor i ett främmande land, jag talar med möda ett främmande språk. Jag är förvisad från mitt hem, det land som är avlägset land.

I barndomen bör jag ha vandrat omärkligt, obehindrad, mellan det skuggrike som kallas för verklighet och mystikens avlägsna land.

Portarna öppnades för mig sista gången skärtorsdagen 1961. Jag satt helt vardagligt i en fåtölj och läste. Solljuset var starkt.

Åren därpå kom sällsynta skärvor av närvaro och ljus, men aldrig hemkänslans djupa trygghet. Dessa sena glimtar kan jag ej hugfästa i tid och rum. De gav smärtsamma minnen, bara.

"Outsäglig frid..." Egendomligt att en sliten fras kan kännas så bokstavligt sann. Frid var själva luften jag andades i det land som är avlägset land. Vad jag kände där var också outsägligt, som alla mystiska erfarenheter otillgängligt för verklighetens språk. För den unge författaren har detta känts svårt och betungande.

Så meningslöst detta som händer mig. Mina rötter är svaga. Ständigt blir jag bortryckt från en lägre verklighet till en högre. Men efteråt är ingenting förändrat. Ingen kan jag ta med på min resa. Jag kan inte ens vittna om den vakna världen för mina sovande bröder, ty detta undandrar sig det sovande språkets makt. Meningslöst.

Så långt från all känsla av utvaldhet och högmod. Den unge man som 1961–1962 skrev Prästkappan har inte känt sig stolt av denna sällsynta möjlighet att återkomma till sitt hem, detta han kallar en ”högre verklighet”. Han har ansett den asocial och medmänskligt ofruktbar. Och som synes omöjlig att uttrycka genom det sovande språket i verklighetens land. Av paradisets honung blev hans tunga förlamad.

Och detta skrevs vid en tid, då jag var för alltid förvisad. Bara sällsynta glimtar återstod. Jag visste det inte då.

En frid som var outsäglig, men ändå möjlig att lokalisera och ibland tidfästa. Lokalen, rummet, den genomlysta, förvandlade verkligheten, var lättast att minnas. Genom det minnet kunde jag också hugfästa i tiden.

Den intensiva ”måsupplevelsen” var lokaliserad till en kasern på mitt regemente. Jag hade ensam på kompaniet straffats med kasernförbud, i och för sig ett glädjande tecken, att upprorsbehovet och ilskan ännu kunde flamma upp. Kamraterna gick på permission, en av de första kvällar detta var tillåtet. Alltså bör det ha inträffat i juni 1951.

Men vad var det som hände? Se där en annan fråga. När och var kan jag säga, men det som hände var outsägligt.

”Utan ljud, utan form, ogripbart, oförgängligt, utan smak, utan lukt, utan begynnelse, utan ände, evigt oföränderligt, bortom naturen är Det. Den som känner Det är befriad från döden.”

Ogripbart och utan ljud... Om jag ändå försöker berätta och gör det i detta sammanhang beror det på att flykten till en annan värld blev så vanlig just under det första skolåret. Det var farligt hemma, farligt i skolan, på den ringlande skogsvägen fram och åter var jag ständigt rädd. Bara i avlägset land kunde jag känna frid.

Visst kan man pröva reduktionism och en materialistisk förklaring – kanske det var en hjärnkemisk skyddsreaktion? De upplevelser av oändlig frid nära döden som många terminala patienter har redovisat bottnar kanske i något liknande – att naturen ger oss en hjälpande hand när det blir för svårt.

Det är en fysiologisk förklaring, vad nu den är värd. Hur långt förklarar vi kärleken mellan Tristan och Isolde med lektioner om svällkroppar och slemhinnor?

Jag vågade inte söka denna upplevelse i vuxna år, jag var en passiv mystiker. En aktiv mystik hade lett till sjukhus och social undergång. I vår prosa hade den ingen plats. Att förklä den till lyrisk modernism kunde jag inte. Överlevnad krävde förnekelse.

Men då... Jag borde helst vara ensam, andra människors närvaro alstrade spänning och skräckfylld vaksamhet. Oftare utomhus än inne. Det var beroende av ljus, gärna solnedgångens. Begränsat i tiden från några minuter till högst en halvtimme. Det stegrades, växte och ebbade slutligen ut i långsamma dyningar. Återkommen från avlägset land kände jag mindre saknad än ett stort lugn och en känsla av osårbarhet och odödlighet. Jaget upplöstes och förenades med alltet, det lidande, förhatliga jaget svann, så som Buddha sagt.

O, måtte tidens pendel stanna! En obegriplig utsago, som denna.

Nu känner han frid. Att leva vaken är att uppta tingen i sig. Frid är de levande tingens inbördes vila med varandra.

Att uppta tingen i sig är en lika omöjlig sats som andra om det outsägliga. Kanske en känsla av delaktighet, att ”uppgå i alltet”. Orden att ”leva vaken” är viktiga – i det mystiska tillståndet var verkligheten förnummen helt och fullt, medan den s k riktiga verkligheten uppfattades av ett halvblint och lomhört jag. I sin fulhet, grymhet och otillräcklighet kunde denna vanliga verklighet te sig grotesk, ägnad att utlösa vilda skratt.

Att återgå till denna verklighet var dock sällan chockerande eller pinsamt, minnet av helhetens tillstånd levde ofta kvar och hoppet att återvända. En paradoxal känsla av trygghet och länge efteråt också av odödlighet.

Den känsla jag avser innebar ej tron på en personlig odödlighet utan kanske en suspension av dödsskräcken eller en övertygelse att tillstånden ”liv” och ”död” var konstlade motsättningar, att enhet och helhet var allt.

I mörka stunder kunde jag längta tillbaka till mitt fredade land, men jag hade inga nycklar eller genvägar dit. Möjligen sökte jag mig utomhus i ensamhet i hopp att portarna skulle öppnas, men jag kunde inte frambringa detta tillstånd av egen kraft. Det kom av nåd.

Därmed ej sagt, att jag skulle ha knutit några religiösa eller metafysiska föreställningar till dessa upplevelser. Vad jag förnam var den riktiga, vakna verkligheten, medan den vanliga verkligheten i jämförelse var en skugga.

I detta den riktiga verklighetens land var allt förnummet som vanligt av sinnena och ändå annorlunda. I någon mening tedde sig allt mycket avlägset, utan att några egentliga skillnader i visuell uppfattning förnams. Huset, klippan, trädet på avstånd var förminskade som vanligt enligt perspektivets lagar, i objektiv mening inte mer än vid vanligt seende. Ändå var allt i någon mening mindre – mer avlägset. På en gång fjärran och inneslutet i mitt jag.

En annan skillnad – denna högre verklighet var på något sätt ljusare, utan att vara det i objektiv mening. Inom det vanliga ljuset rymdes ett osynligt ljus.

Figurligt kunde jag uppleva det så, att en annan ordning, identisk med den vanliga verkligheten, ändå högre och mer fullkomlig, svävade omkring någonstans i gränsen till mitt synfält, för att så, oväntat, sänka sig ner i den vanliga verkligheten, som en oförklarlig kub av ljus över en teaterscen, ljus men ändå inte ljus – fullkomning.

Hemkommen från resan till min far sommaren 1947 hade jag länge svårigheter med en ond ordning, som hotade mitt förnuft. En ordning formad som en kartong svävade vacklande i rummet och ville locka mig in till vansinne och död. Det var en helvetisk motsats till den rätta orten, skräcken att gå ditin var stor. En gång upplevde jag subjektivt döden, som att få en sextumsspik slagen in i min tinning. Efter ett halvårs förtvivlad kamp kände jag hur denna onda ordning tonade bort och försvann. Jag var räddad. Och min vanliga tillflykt bestod, alltid med läkande flöden av frid och åter frid.

När dessa besök i min tillflykt började avta i trettioårsåldern levde länge minnet kvar, skärvor glimmade ännu förbi, och minnet av mitt riktiga fosterland gjorde den ”riktiga” verkligheten mer skräckinjagande grym och grotesk än den kanske föreföll andra. Ack, jag mindes ju hur det kunde vara, fullkomlig frid, allenhetens vila. En allomfattande kärlek, som var ”de levande tingens inbördes vila med varandra”.

En annan följd av dessa minnen var att dödsskräcken aldrig var stark, och att självmordet tedde sig lite orimligt. Att ta livet av sig var som att springa ut ur ett rum och demonstrativt slå igen dörren efter sig. Det var absurt, ty det innebar ej att man lämnade huset, man bara gick ur ett rum i ett annat, vad nu det skulle gagna. Varat är odelbart och ett.

Annorlunda det filosofiska självmordet. Att stilla lämna ett rum som blivit för stökigt och kvavt, ja, det kunde jag förstå.

Inga motsatser finns i land som är avlägset land, ej mellan liv och död, ej mellan frihet och tvång, allenhet finner du där och alla motsatsers inbördes vila i varandra.

Förjagad från land som är avlägset land fann jag en verklighet kluven och stadd i evig kamp, oförenlig motsättning. Människan var ställd inför ett tragiskt val mellan en Ordning, som tycktes bestämd att stelna i tyranni, och en Frihet, bestämd att sluta i självsvåld och bestialitet. Eller fanns överhuvud ett val? De gestalter i mitt verk som talade för Ordningens bjudande tvång – abbé Marcello, Johannes Döparen – tycks tala med författarens stämma. Dock var vår självförintelse det enda vissa.

En ständig längtan tillbaka, en kamp att hålla förtröstan vid liv. O, måtte tidens pendel stanna...

Jag läste med förskräckelse Ivan Karamasovs berättelse om Storinkvisitorn. I denna dystra gestalt tyckte jag mig känna igen Världsfursten, allsmäktige Gud, förhärjaren. Gubben hade rätt i sin förkunnelse, Jesus hade inget att invända. När han mot slutet kysser den gamle är det till tecken på underkastelse inför en ond och allsmäktig fader.

Och mina medmänniskor, som levde i denna tragiska kluvenhet, hur gagnade jag dem genom att gå över gränsen till avlägset land? ”Men efteråt är ingenting förändrat. Ingen kan jag ta med på min resa.”

Sant även vad jag nu mycket starkt upplever: ”Jag kan inte ens vittna om den vakna världen för mina sovande bröder, ty detta undandrar sig det sovande språkets makt."

Splittrad, grym, och vederstygglig tedde sig den verklighet, dit jag landsförvisats. Bara med möda talade jag det språk som var gängse där.

Tonåringen umgicks ofta med tanken att lämna detta kvava och stökiga rum som kallades verkligheten men avstod till slut: det var meningslöst och oförenligt med allenhetens frid. Ja, livsviljan var något ont – "Jag kommer att leva länge ännu" – men självmord?

Jag var tvungen att leva vidare, som hjälp och stöd åt min mor, som var så illa medfaren av livet. Hon klarade sitt arbete men var förintad av trötthet när hon kom hem, i den utmattning som bara överkänsligheten kan alstra. Skulle vi ha något att äta fick jag själv koka ihop det åt oss, hon var mestadels för trött. Maten hon inhandlat ruttnade i skafferiet: hon orkade inte.

Det var bittert nödtvång mer än sonlig kärlek, vi var bägge trötta på umgänget, kanske bittra över den otillräcklighet vi fann hos varandra. Vi var bägge hudlösa och vilsna i verkligheten. Mig gav den mystiska hänryckningen en så välsignad tillflykt, att verkligheten knappt föreföll mödan värd att genomleva. Men ansvaret för den än mer livsodugliga höll mig uppe. Min arma mor hade ingenstans att fly.

De täta besöken i en annan och bättre värld ingav mig leda och vämjelse för verkligheten. Där fanns allenhet och frid, här fanns splittring, kaos och natt. Vad skulle jag bli i denna verklighet? Var det mödan värt att leva?

Bäst var att läsa, drömma, fantisera, hoppas på nya utflykter i land som är avlägset land, landet av enhet, odödlighet och ljus.

Att leva vuxenliv var att söka en vrå, där jag hade mitt levebröd till nödtorft och kunde vänta tålmodigt utanför dessa stränga portar av kristall, som ibland skulle öppna sig av nåd.

Att jag inte gick under, socialt? Av invand skräck för en faderlig myndighet mödade jag mig var jag än hamnade, lyckades stundom väl och fick goda anbud men kunde ingenstans trivas, en förlamande känsla av leda inför verkligheten drabbade mig ofta i ekorrhjulet. Den akademiska världen var en olustig rastplats, där jag väntade på något annat.

Ledan omväxlade med självförakt. Sällsamt nog hade jag höga betyg på den befälsskola, dit min studentexamen förvisade mig; skälvande som en asp i vardagen blev jag lugn i krisiga befälssituationer. Att bli officer föreföll dock förmätet och över mitt stånd. Beskäftig strävan omväxlade med ryck av leda. Jag duger ändå inte. Det tjänar inget till. Det finns en annan värld...

O, måtte tidens pendel stanna, kom tidlöshet och natt, öppna dig heliga port till land som är avlägset land...

En leda på gränsen till dvala.

Men så spratt jag upp på nytt, skrämd av en faderlig röst, förfärad av alla exempel på undergång och frivillig död jag såg omkring mig. Och jag företog en ny spasmodisk galoppad framför Tidens vagn.

Att fortplanta sig, att leva? Men var inte livsviljan det urondas egen drog? Dessutom tog jag för givet, att mitt yttre ingav kvinnokönet avsky och skräck. Att närma sig flickor var otänkbart.

Ett oroligt ryck, sedan dvala på nytt, drömmar, en evig väntan på den förnyade nåden, porten som äntligen öppnades...

Jag befanns ha en språklig talang, en förstorad själsförmögenhet, kanske var jag ett vattenhuvud bland vanliga människor. Och någon gång kunde jag skriva till mig själv om det som var viktigt, med osynlig skrift.

Men det hände inte så ofta att jag tillmätte denna verksamhet någon större vikt, den var ju ett utslag av den onda livsviljan, den hörde till den vanliga verkligheten, som bara var avsky värd. Kanske kunde man vara Tok-Harry, spela apa, vara en rolig djävul för att förskonas? Kanske kunde man tjäna sitt bröd? Om allvaret bröt fram och inte förstods, hade jag inte mig själv att skylla?

Nej, det vart inte mycket sämre än annat som skrevs, men det säger ju inte så mycket. Karg är den svenska vitterheten, pinsamt var det att läsa kolleger som tog sig själva på allvar.

Tidigt hade jag försökt uttrycka mina mystiska erfarenheter i poesi, men det lyckades inte. Visst är det omöjligt att säga något om det outsägliga, men jag fann med tiden att sådana som Rilke och Ekelöf hade lyckats i någon mening. Självfallet kunde de inte översätta mystisk erfarenhet till diskurs, däremot skapa en språkmusik, som framkallade liknande förnimmelser, låt vara mer svaga.

Men jag mötte inga änglar i avlägset land och jag kände ej modernismens språk.

Det var först när mystiken torkat bort ur mitt liv som jag började skriva – prosa. I de första böckerna skymtar ännu motivet, sedan försvinner det sakta, förtunnas, förbleknar.

Det jag skrev hörde hemma i en lägre verklighet. Den sanna, den rätta verkligheten var för alltid förlorad. Ändå kunde jag ingenting glömma. Jag var en landsförvisad, som vann sin bärgning med underhållande babbel på ett främmande språk.

Om mitt förlorade fosterland kunde jag inget berätta.

Att fly till konstgjorda paradis var ej frestande. De gifter jag mer eller mindre flyktigt prövat, cannabis, opiater, alkohol, gav bara eländig ersättning, ljuset av en fläckig måne i höstmoln jämfört med solens glans.

Kanske kunde tystnaden erbjuda en tillflykt.

Som åren går och detta kluvna och bisarra liv börjar te sig alltmer overkligt, har ”stendrömmen”, flyktdrömmen, återkommit i nya former. Så tungt att dag efter dag stiga upp, kämpa ner morgonens ångest, jaga sig upp i skapandets exaltation och skriva texter som kanske har ringa värde och inte ens kan begripas.

Vore det inte bättre att gå in i den slutna värld, som morfar och morbror Carl bebodde, i tystnadens saliga vila, kanske i betraktelse av en bättre värld? Bara tiga och se, medan kroppen sakta förfaller.

Bättre än att leva i denna verklighet, där en blind Världsfurste hetsar människorna mot undergången.

Jag vill hem till mitt land. Jag vill ingå i denna tystnad, där man förnimmer den frid, som gives bara av nåd i det land som är avlägset land.

13

”Långt borta, i ett avlägset land, finns den enhet vi bara anar här nere, som en skugga på grottans vägg...”

Som den enhet vi en gång kände i paradiset.

Men det paradisets honung blev till ett gift, som förlamade min tunga och vände mig bort från livet.

”Sommarträd, sommarfågel, trygga vilar ni i artviljans modersköte. Vi åt av ett förbjudet träd och dignar sedan dess under frihetens börda, kunniga om tid och död...”

Om död och tid visste vi inget i paradiset, som tycktes mig vara ett annat namn på land som är avlägset land.

”Och sannerligen säger jag er: alltsedan den dagen har människan dignat under frihetens börda och överallt sökt en ny lydnad, en ny bestämmelse, ett äntligen förnyat barnaskap i Gud!”

Så talade den mörke abbé Marcello, och det var med hans plågade ögon jag såg den arma Änkans sammanbrott ”under frihetens börda”.

Var inte detta vårt tragiska val efter paradisisk enhet – antingen en Ordning, som blev till ett mordiskt fängelse, eller en Frihet, som ledde till vår självförintelse?

För mig fanns dock ingen Ordning, ej heller en Frihet.

Ej heller en väg tillbaka till land som är avlägset land.

Uppbrottet

1

En barndom som var ett sorgespel eller en pinsam fars. Före dess sista akt var det kallt och mörkt i salongen.

Skräckens slagskugga växte när kriget kom. Pojken märkte de vuxnas oro, och hans fantasi tecknade grymma bilder. Ett hot i tiden var att tyska trupper skulle landstiga i Oxelösund, där järnmalmen skeppades ut för att ge vapen åt Wehrmacht och SS. Familjen hade fått radio nu, men pojken lät sig aldrig lugnas av landsfaderliga röster som skorrade att vår beredskap var god. Han hade lyhört öra för lögn.

TT-nyheter om överflygningar och torpederingar jagade upp hans skräck. Han vågade inte anförtro sig åt de vuxna, det var så pinsamt att höra deras lugnande röster ljuga ihop något enfaldigt. Pojken ruvade sin skräck i tystnad.

Fadern låg förlagd till Sjösa slott i detta hotade och utsatta Södermanland. Pojken var där och besökte honom och fick med barnets klarsyn starka intryck av den usla beredskapen. Fadern provsköt en revolver med en tegelpanna som måltavla, det rök av teglet, men pannan gick inte sönder. Officerarna tillhörde reserven, och pojken anade deras osäkerhet och skräck: sådana känslor kan de vuxna aldrig dölja för barn. Han förstod att Sverige var värnlöst, det förklarade alla dessa eftergifter för överbödeln i Berlin. Det nedrustade Sverige hade blivit det urondas medhjälpare och rackardräng.

Kriget bidrog till den känsla av kyla, skräck och mörker som ruvade över hemmet den sista tiden.

Landets vanmakt ökade hans egen ångest. Han visste ju redan förut, att den värnlöse lätt blir det ondas tjänare. Man måste stå det onda emot.

2

Den förvildade trädgården gav pojken en tillflykt sommartid, ett paradis där han kunde drömma sig bort. Ogräset växte högre vart år, de försummade fruktträden täcktes av mossa. De dignade ändå av frukt var höst, på trots av all försummelse.

Ett nytt päronträd planterades i en utkant av paradiset, där det stod spinkigt, ensamt och försummat. Folket på Mölna glömde dess existens, de hade annat att tänka på. En sval septemberdag kom pojken att finna trädet i en avkrok, där gyllene lövfall öppnat en utsikt. Han fann till sin förvåning att det lilla trädet hade frambragt en mogen frukt, ett mattgult päron, som av trädets darrning lossnade från kvisten och föll i hans hand. Han åt den förbjudna frukten, det läckraste han någonsin smakat. Kanske var ensamhet och tystnad ett villkor för fulländning och mognad.

Trädgården var en försummad del av ett gammalt kulturlandskap, som krävde ständig och kärleksfull omvårdnad för att bestå. Av sådant fanns ej mycket till övers på Mölna. Förfallet fortsatte drömlikt år från år, med krigets vintrar kom undergång och död.

För friska barn var vintern ett element bland andra att leva i, i bästa fall på kälke eller skidor, ibland med snölyktans darrande galler i det tätnande mörkret. Men detta var något annat, kölden ingav barnen skräck. Skolan höll stängt. De sökte sig in i köken, där Mamma och Spis gav trygghet och värme.

På mjölkpallarna stod bleckflaskorna först immiga av sitt ljumma innehåll, sedan täckta av rimfrost. Det hände att mjölken frös till när lastbilen dröjde.

Pojken var av kölden instängd i köket under en tid då han helst ville dölja sig. Över hans huvud utspelades ett grymt drama.

3

Före sorgespelets sista akt var det kallt och mörkt i salongen.

Mörkret var de första krigsåren, då åkrarnas fruktsamhet torkade bort av missväxt, skogarna kalhöggs till vedbrand, och fruktträdgårdar och ädla lövträd frös bort om vintern. Sörmlands lummiga landskap ödelades för alltid. Sekler av mödosamt människoarbete hade krävts för att odla kulturens paradis, ett yxhugg av kyla var nog för att lägga det öde.

Sillen frös till, ån lade sig första gången i mannaminne, det råmade ödsligt ur isen om natten. Det var Vintern, som bölade i triumf. Det var en köld, som ingav människorna skräck.

Pojken värmde en femöring på spisen och töade upp ett runt hål i den isludna, gröna rutan. Genom sitt titthål såg han de gamla fruktträden kämpa för sina liv i den svarta vinternatten. Det tycktes honom att de stod med slutna ögon och samlade all sin kraft för att överleva. Deras vilja till liv ville inte förslå. Om våren syntes de svarta och risiga, utan löv och blom. Fruktträd, kastanjer, allt hade dött, och de svarta, slemmiga stammarna fick kapas och huggas till ved. Men skogens barrträd hade överlevat i dyster triumf.

Bara Sörmland i minnet återstod efter den vintern, som danat ett kalt och plundrat landskap som utan motstånd gav sig för Nyttans våldtäkt.

Fabriker och verkstäder reste sig på de gröna åkrarna. Parken på Nygård fälldes i en extas av doftande sav och löv; där byggdes nu radhus för stockholmare, som ville bebo vår hembygd året runt. Höga skorstenars rök fördunklade himlen. Sjöar och vattendrag förpestades, fiskarna dog. Åkrarna göddes med gifter, som slutligen hotade Östersjöns liv.

I minnet återstod bilden av ett försvunnet Sörmland.

Den stora vintern hade härjat och gallrat, bara det vilda körsbärsträdet i skogen hade överlevat. Det envisa trädet ingav pojken en egendomligt kluven känsla av hopp och förtvivlan. Trädet bragte ett budskap om liv, som han inte kunde förena med sin svartsyn och förtvivlan.

Ett heligt och ömsint odlat landskap hade härjats av vintern, men livet skulle alltså fortsätta, trots allt.

Det fanns stunder då han hatade denna envisa livsvilja, som bara förebådade ett nytt lidande utan gräns, liv som gav liv som gav liv... Så länge människan ej i sin grymma frihet lagt jorden öde.

I sin bittra medelålder skulle han skriva om denna livsvilja, denna ohämmade ondska, som evigt tuggar sin ångestjagade, grymma refräng – ”jag kommer att leva länge ännu, jag kommer ett leva länge ännu...”

I oklar förbittring såg pojken det vilda körsbärsträdet grönska och blomma på nytt och på nytt.

Så hade ett landskap dött och sjunkit i minnet, men livet vägrade ännu att dö.

4

Jag fann en stor diamant ett av de sista åren på Mölna. Det var en egendomlig ljuspunkt, kanske ett tecken i en tid av tilltagande iskyla, mörker och hotande död.

Jag fann den i slänten ner mot ån, väster om huset. Den var stor som ett gåsägg och vackert slipad. Jag satt i timmar och såg regnbågen vältra, flamma, slå upp sin evigt skiftande påfågelsstjärt i dess inre. Det var ett mirakel av skönhet och tröst.

Vid den tiden var jag gammal nog att inte kunna hålla ifrån mig förnuftets misstanke, att det var en slipad glasbit ur en kristallkrona. Men varför skulle jag förringa det som var skönhet och tröst och kanske av oskattbart värde?

Men även om jag ville kunde jag inte sälja ädelstenen för att köpa mig enkel biljett från Vagnhärad. Utan skönhetens tröst kunde jag inte leva de långa och mörka tider, då jag var utestängd från land som är avlägset land.

Världen hade vidgats, det är sant. Jag hade upptäckt nykterhetslogens bibliotek i samhället och bar hem väldiga bördor böcker eller fraktade dem på spark. Jag läste ofantligt mycket, mest historia, alltmer övertygad att historien är en mänsklighetens mardröm, en dödsprocess som galningar vill se en mening, ett mål, en innebörd i. Dem Gud vill förstöra slår han med galenskap och blindhet.

En grym bekräftelse, ett bistert nöje att ständigt se sin svartsyn bekräftad. Gud är starkare än vi, och han arbetar envist på vårt fördärv, han inger oss drömmar som leder oss i döden.

Världskriget bröt ut och gav mig än tyngre bekräftelse.

Med mitt ständiga läsande kom jag i konflikt med Delblanc. Han ville fanimej inte ha en läskarl i huset, han behövde hjälp i sitt arbete!

Det var under denna beredskapstid jag fick en bild av min far som inte stämde. Bristen på befäl var skriande, och Delblanc blev som fyrtioåring värnpliktig fänrik. Han hade haft ett kommunalt uppdrag, han hade varit i landstormen, det räckte som merit.

Han förlades vid ett beredskapskompani på Sjösa slott. Uppgiften var att försvara kusten mot en tysk invasion. Befälet bestod av lönnfeta och milt förvirrade reservofficerare. Pojken fick besöka sin far några dagar och vandrade runt som mascot, allt var mycket formlöst, de överåriga bassarna gav honom sockerbitar.

Pojken märkte att fadern var lugnare än vanligt, han fick också ett intryck som inte stämde, av en man som var dugande och hade sina mäns förtroende, de var arbetare och bönder som han själv. Han kunde reta sig på sina morgonsömniga officerskolleger, själv var han vaken med koktrossen, för att få dagens första kopp kaffe. För att få liv i den snarkande kompaniadjutanten gick han in och sköt sönder hans cigarrburk. I sovrummet snöade bruna flingor i tre dagar. Den fete löjtnanten skalv i sitt tobaksregn: han var skotträdd.

Det kom larm från Oxelösund, nu var tysken i faggorna. Allt

blev kaos och förvirring. Fadern tog sina män med sig till landsvägen, hejdade lokalbussen, fyllde den med karlar och vapen, häktade på sin pansarvärnskanon m/34 och for åstad för att slåss mot tysken.

Jag inser nu i vuxna år att där var något som inte stämde. Han behövde fysisk ansträngning, hårt tryck, krav på beslut för att bli lugn. Kanske var han danad för kriget och dess yrken.

Jag såg detta som barn men kunde inte foga det in i min bild av demonen. När han kom hem från sin krigiska värld var allt som förut.

*

Jag stack mig undan i skrymslen och vrår för att läsa, vände den glimmande diamanten i handen, läste och läste. Romanerna fann jag mestadels dumma, de handlade om problem av ringa vikt, kärlekstrassel och ett fadersförtryck, som verkade dunlätt – vad var det att gnälla över? Att skriva om lidande var tydligen fint och ärorikt, men böckernas lidande kände jag inte igen. Av lidande blir man skack och förkrymt och självupptagen, vad är det för fint med det? Vad är det för ädelt med att kissa på sig? Nej, böckernas bilder var inte sanna.

Verklig och sann var historiens eviga brand, förhärjande jordens yta med Guds onda andedräkt. Med brinnande kläder sprang galna profeter i den ständiga elden och siade om tusenårsriken, medan blida poeter i fredade skrevor rimmade om hjärta och smärta och filosofer begrundade livets frågor – "i vilken eld står allt detta i lågor?" – innan de brändes till aska.

Världen blev kallare och mörkare var dag.

Storasyster försvann hemifrån, och därmed den enda som vågade stå den onde emot. Vi som återstod var hjälplösa som kackerlackor under demonens klack.

Lillasyster gjorde ett blygt försök att bryta sig ut till ett vuxet kvinnoliv, men hennes friare försvann vettskrämd efter en blick in i helveteshuset Mölna.

Delblanc var ofta i beredskapstjänst, men tog bondpermis och kom hem för arbete nattetid. Han blev än mer retlig av överansträngning och drev sonen i hårt arbete. Hans hand låg tung över djur och familj. Hästarna rasade, vettlösa, skrämda, bara han steg in i stallet, slog med hovarna, visade tänder, vände ögonvitorna utåt.

Demonen tog sig vid denna tid en ny kvinna i ett grannhus. Hon älskade honom vilt och skulle i sinom tid söka upp honom i Kanada, för att leva i svält och föda honom tre barn i ett kyffe.

Modern sjuknade i lunginflammation, lillasyster hade då räddat sig hemifrån till arbete och ett eget liv. Modern var svårt sjuk, kanske ville hon ej leva mer. Demonen såg helst att hon dog.

Han bodde hos sin nya kvinna och kom sällan hem. I början av sjukdomen sökte modern stappla upp och ge sonen mat. Så orkade hon inte mera. Pojken försökte hjälpa henne, men hon bara teg och vände sig mot väggen. Hon var nu så hjälplös att hon orenade på golvet. Febern brann, hon ville inte leva mera.

Pojken övervann sin skräck, drog fadern i kläderna, tiggde och bad honom hjälpa... Han hutades åt – du tiger!

Någon kom på besök av en slump, blev skakad och sände efter läkare. Doktorn blev upprörd av eländet och började gräla på fadern, säker på sin myndighet. Han visste ej vad det vill säga att nappas med en demon. Fadern fick ett raseriutbrott, som drev läkaren vettskrämd på flykten.

Men modern fick sulfa och kom sig.

En eländig död vändes i eländigt liv. Det var vinter, kyla, raseri och misshandel.

Den underbara diamanten kom bort vid denna tid. Pojken fann det bara rätt och rimligt. I detta helvete fanns inte plats för skönhet och ögontröst. Han var ej längre barn, han visste att det var en billig glasbit, bara. De gömda stenarna av guld kunde han ej återfinna.

Han orkade slutligen inte läsa mer, inte gå i skolan, satt bara förslöad i ett hörn och glodde med armarna om knäna. Ond Ordning rörde vid hans panna med sin kyliga hand.

Ur en eländig död växte eländigt liv. Men modern fick hjälp av sin bror vid denna tid: han förklarade för henne att hon inte skulle berövas sin son om hon sökte skilsmässa. Äktenskapsbrottet gav en möjlighet att fly. Det måste få ett slut.

När beslutet var fattat blev olyckan än värre.

Demonen andades eld som en drake. Kanske var han besviken för att hustrun inte dött, kanske rasade han över de ekonomiska förluster han skulle lida, säkert eggades han av sin nya kvinna. Nu misshandlade han sin hustru svårt. Detta hade sonen att bevittna.

Han tiggde och bad Delblanc att skona henne, men blev avvisad bryskt. En gång kröp han på knäna för att beveka demonen, förgäves. Han trodde ännu, att det onda kunde bevekas.

Han hörde modern skrika ur mörka huset, såg henne misshandlas, och han slungades åter och åter in i land som är avlägset land, kanske till lindring och hjälp, men det märkliga inträffade nu, att skriken utifrån trängde igenom de milsdjupa murarna av kristall. Det fanns inte längre en tillflykt, sin mors lidande kunde han ej stänga ute.

Många i trakten bevittnade eländet men ingen vågade ingripa. Ord som lever i minnet – ”en ska inte lägga sig i andras affärer!”

Förmodligen var de rädda för demonen.

Det föll pojken in, att även den onde guden var rädd för sin egen skapelse och gömde sig förfärad i den vintriga skogen. Demonen rasade ohämmad i sitt mörka hus.

Jesus gick aldrig vägen förbi och klappade aldrig på porten till Mölna. Slutligen flydde också den onde guden, skrämd av sin egen grymhet.

Mörkret föll och slutet kom. En marsdag 1943 kunde de fly från helvetet på jorden. Modern var då sjuk till kropp och själ, och sonen var henne till föga hjälp.

Fadern och hans nya kvinna skulle leva i främmande land, i elände och nöd. Demonen skulle torteras länge på sjukdomens stegel och hjul. Ingen rättvisa var skipad med det och ingen försoning vunnen.

Sonen sökte glömma sina onda minnen. En sådan far ville han inte ha. Han sökte i hågkomsten efter goda och försonande drag, han ljög och förträngde. Han ville inte minnas demonen.

Men minnena lät sig inte förjagas. De levde i ständiga mardrömmar, som väckte honom nattetid till ett skrik.

– Men det värsta är ju över nu, sökte han trösta sig.

Han anade inte då vad som ännu förestod.

Fadern hade givit honom en bild av Gud, barndomen en bild av livets villkor, att leva som bödel när man mäktade, som offer när man måste.

Bara kärlekens blommande träd i skogen stod kvar som en gåta i denna klara och kalla bild av livet.

Om denna blomning måste han vittna, innan slutligen bara tystnaden återstod.

Efterskrift

Boken skrevs ut i en första version 1988, men föreföll mig då allt-för pinsam att publicera. En obetydlig del av texten användes i bearbetat och censurerat skick för bilderboken ”Sörmland i minnet”, som jag utgav samman med Reinhold Ljunggren 1989. En viss överarbetning skedde ännu 1990. Att manus hela tiden bevarades tydde förmodligen på en omedveten övertygelse, att boken måste ut.

Förf.